7. 50

CE QUE JE CROIS

Éditeurs:

LES ÉDITIONS LA PRESSE
ALAIN STANKÉ, Directeur
7, rue Saint-Jacques
Montréal H2Y 1K9
(514) 874-6981

*Maquette
de la couverture:*

JEAN PROVENCHER

*Distributeur exclusif
pour le Canada:*

LES MESSAGERIES INTERNATIONALES
DU LIVRE INC.
4550, rue Hochelaga, Montréal H1V 1C6, Qué.
(514) 256-7551

*Distributeur exclusif
pour l'Europe:*

LIBRAIRIE HACHETTE
79, boul. Saint-Germain
Paris VIe (France)

Dépôt légal:

BIBLIOTHÈQUE NATIONALE DU QUÉBEC
1er trimestre 1974

ISBN 0-7777-0074-3

LOUIS PAUWELS

CE QUE
JE CROIS

 la presse/GRASSET

DU MÊME AUTEUR

Romans

SAINT QUELQ'UN (Ed. Le Seuil et Livre de Poche).
L'AMOUR MONSTRE (Ed. Le Seuil et Livre de Poche).
LE CHÂTEAU DE DESSOUS (Gallimard).

Portraits

MONSIEUR GURDJIEFF (Ed. Le Seuil et Livre de Poche).
LES PASSIONS SELON DALI (Ed. Denoël).

Essais

LES VOIES DE PETITE COMMUNICATION (Ed. Le Seuil).
LE MATIN DES MAGICIENS (Gallimard, Livre de Poche, Folio).
L'HOMME ÉTERNEL (Gallimard et Folio).
   (ces deux ouvrages en collaboration avec Jacques Bergier).
LETTRE QUVERTE AUX GENS HEUREUX (Albin Michel et Livre de Poche).

Spectacles

LE GOLEM (Télévision).
PRÉSIDENT FAUST (Télévision).
LES CHRONIQUES MARTIENNES (d'après Bradburry, théâtre).

Au noble Aimé Michel

Je désire être enterré religieuse-ment, n'importe la religion. Je sou-haite que la prière soit dite et enten-due par des hommes pieux.

COMMENCEMENT

I

Je crois que j'ai une âme.

Je crois en mon âme juste et infinie.

Cette foi n'a rien à voir avec ma personne. Mais j'essaye de conduire ma personne à la sagesse, par considération pour mon âme.

Voilà tout ce que je crois. Le reste n'est qu'idées.

*
* *

Ma vie publique est ambiguë. Mais quelle vie publique ne l'est pas? Je suis un homme ignoré assez connu. Inclassable et donc suspect, dans un pays et une époque où l'on met de la guerre civile dans la culture. On m'estime à faux; on me méprise à tort. La guerre civile vous porte aux nues ou vous fusille, toujours par malentendu. J'ai aggravé mon cas en opposant à l'esprit de jugement l'esprit d'indifférence, et à l'esprit de déférence l'esprit de différence.

Chaque fois que je me suis senti suivi (un « auteur suivi »; « vous avez tout un public qui vous suit »

Brrr!), j'ai bifurqué. Un jeune homme, dans un roman de Paul Nizan, s'écrie : « Si je savais qu'une seule de mes entreprises doive m'engager pour la vie et me suivre comme une espèce de boulet ou de chien fidèle, j'aimerais mieux me foutre à l'eau. Savoir ce qu'on sera, c'est vivre comme les morts. Il faudrait être assez pur, ou assez brave, pour ne pas exiger que les choses durent. » J'ai été ce jeune homme, et le suis resté. D'où quantité d'hostilités somnambules.

Tout cela m'a fait des contacts humains nombreux, mais avec des antennes piquantes et rétractiles. Ces difficultés d'étranger donnent une meilleure connaissance de soi et des autres. Etranger. Mais pourquoi?

J'ai fini par ne plus distinguer que deux sortes d'hommes. Ceux (les plus nombreux) pour qui la réalité est double : leur personne et le monde. Et ceux (dont je suis) pour qui la réalité est triple : leur personne; le monde; et une présence à eux-mêmes et au monde qui est plus que leur personne et plus que le monde.

Après tant de lectures, ayant appris des choses compliquées, je crois à des choses simples. J'en viens à me dire que le seul vrai partage entre les hommes, c'est d'avoir vécu ou non, reconnu ou non, vénéré ou non, quelque expérience fondamentale de l'être.

D'un côté : « Etre, verbe nul et mystérieux qui a fait une grande carrière dans le vide », dit Valéry après Voltaire et avant nos philosophes de « la mort de l'homme ».

De l'autre : « Notre âme, en tant qu'elle perçoit les choses vraiment, est une partie de l'entendement divin » (Spinoza). Par une disposition naturelle irrépressible, le sentiment premier et ultime d'une essence. D'un *Je* anonyme, absolu, transcendant, au-dessus de la personne. Et la certitude que ce Je transcendant « est en nous le divin, sans preuves et sans prêtres » (Abellio).

Il y a sans doute deux races d'esprits, l'horizontale et la verticale, opposées et nécessaires. Deux branches pour la croix, et Dieu dessus.

*
* *

« Que peut faire un homme éveillé, qui ne soit ni de l'ordre des actes, ni de l'ordre des sensations, ni de l'ordre des émotions, ni de l'ordre des pensées? » Un essayiste anglo-saxon, Daly King, dit que c'était là l'énigme du Sphinx. La réponse est : il peut se faire une âme.

Je crois que l'âme se forme par une combinaison de l'esprit et du corps, qui ne se produit pas chez tout le monde. L'esprit dans l'univers se suffit à soi, ne connaît pas de manque. Mais il lui faut des corps pour faire des âmes. Je crois que l'âme apparaît quand l'esprit, dans un corps, acquiert de la distance par rapport à lui-même. Quand l'esprit, dans un corps qui consent et y trouve son bien, arrête l'esprit et ainsi l'établit comme une présence à l'état pur.

Fénéon, anarchiste intelligent, est appréhendé, porteur d'un pistolet.

— Vous aviez sur vous de quoi commettre un meurtre, lui dit le juge.

Fénéon répliqua :

— J'avais aussi sur moi de quoi commettre un viol.

J'aime beaucoup cette fière plaisanterie. Nous nous servons rarement, pour le mal ou le bien, de tout ce que nous sommes. Chacun a aussi de quoi se faire une âme. Encore faut-il le désir. Et encore davantage : le désir du désir, faculté mystérieuse. Laquelle ne se dévoile que dans la prière, autre mystère.

Et puis il faut des épreuves.

Je connais un homme qui fut déporté à Mauthausen, section « Nuit et Brouillard » (détenus à faire disparaître). Par extraordinaire, après des mois abominables, on l'inscrivit sur une liste d'échange de prisonniers. Il répondit : non, inscrivez quelqu'un d'autre. Pourtant, ce n'était pas un saint. Fixé sur un but exclusif : continuer la guerre. Et s'estimant pour cette guerre plus utile que beaucoup. Or, il venait de s'entendre répondre non. Il venait de répondre non, sans réfléchir. Il en tremblait de surprise. Et une sorte de joie l'inondait. Il venait de découvrir qu'il y a plus important que survivre, c'est se sentir hors d'atteinte. Sans espoir ni peur, et avec cette joie froide qui ruisselait, maintenant il était hors d'atteinte. On gagnerait cette guerre sans lui. Mais il avait gagné une guerre sainte. Il venait de recevoir son âme.

Il faut aussi une indépendance totale : que l'opinion de qui que ce soit, et la nôtre, cessent de compter.

Quelque chose en nous se forme, qui gagne notre respect, qui survit à nos dégradations, et qui existe durant nos absences, comme les étoiles existent dans le jour. Avoir en eux quelque chose qui mérite leur respect, même quand ils sont bas, même quand ils sont de sortie, je crois que c'est le but non avoué, souhaité sinon conscient, de tous les hommes. Voilà la vraie libido, quoique nos psychologies en ignorent l'existence. Alors il y a un sommet de solitude, mais d'où l'on découvre les êtres. On les respecte, on les comprend. De ce sommet, on communique avec eux naturellement.

Mon père [1], qui avait une grande âme, s'entretenait avec n'importe qui : la femme de ménage, un livreur, la concierge.

— Tu perds ton temps, ils ne peuvent te comprendre, lui disais-je.

— Je ne sais pas, répondait-il. Je ne sais pas. Ils me sont tous naturels.

Ils lui étaient naturels. Ils ne lui étaient pas communs. C'est pourquoi je ne l'ai jamais vu intervenir dans le destin d'autrui (mais le cœur sur la main). Il ne mésusait pas des autres, ne les confondant pas avec soi. Il communiquait avec eux, naturellement et tout entier. Il ne les chauffait pas afin qu'ils fon-

---

1. J'appelle père mon beau-père, l'ouvrier tailleur qui m'éleva, et dont je parlerai tout à l'heure.

dent et se coulent dans son monde. Il leur faisait de la lumière pour qu'ils trouvent leur chemin.

Ainsi, je crois que l'âme existe. Que la culture scientiste de mon temps ne soit pas d'accord, aucune importance. Pouvez-vous démontrer objectivement que l'âme existe? Non. Mon âme m'est une évidence. L'âme est une leçon qui apprend à n'être pas objectif. Laissons l'objectivité aux ordinateurs. Pour moi, il ne s'agit pas d'enseigner, mais de porter témoignage et d'établir des liens.

Tous les soirs, un saint homme éparpillait du pain dans l'herbe.

— C'est pour Dieu, disait-il.

On lui disait :

— Mais non, c'est pour les oiseaux.

Il répondait :

— Dieu partage avec eux.

*
* *

Je ne peux démontrer l'âme, mais je peux parler de ses propriétés. J'en vois deux : l'émerveillement et le contentement.

L'émerveillement, qui n'est pas réductible à la psychologie des sensations, est, je crois, un sens spécifique de l'âme. En nous, l'invention et la création ont partie liée avec le sens du merveilleux. C'est un sens qui vient d'au-delà de la machine humaine. Peut-être notre rôle essentiel dans l'univers, est-il de nous émerveiller de l'univers. Qui a été capable de s'émerveiller, même s'il doit un jour être écrasé par le monde, a su qu'il était utile et bon d'être homme.

Quand je songe aux livres que j'ai faits, aux idées et aux images que j'ai mises en circulation, je me dis que si, chez un seul être, j'ai suscité la faculté d'émerveillement, je suis justifié.

La seconde propriété est le contentement. Pas le contentement de soi, cette dérision. Mais un contentement d'une nature telle que la question du but de la vie ne se pose plus. Là où il y a de l'âme, il y a ce contentement.

— Je ne comprends pas ceux qui cherchent un but à leur vie, et je les trouve parfois un peu ridicules. Je comprends encore moins ceux qui cherchent un but à la vie. Pourquoi la vie? Parce que la vie. Ce doit être cela, la grâce, me disait mon père.

Il y avait à Bénarès un pharmacien réputé grand sage. Un de mes amis hindous, enfant de la ville, passait chaque jour devant la pharmacie, avec respect et crainte. Plus tard, il y entra pour des achats, mais jamais n'osa poser sa question. Enfin, la trentaine, il se décida :

— Qu'avez-vous appris dans la vie?
— Que je vis, dit le pharmacien.

Et il n'en dit pas plus.

L'homme primitif vit dans l'instant, ou plutôt dans une série d'instants compacts. L'homme ordinaire vit dans des segments de temps mélangés, tout occupé de souvenirs, de nostalgies, de regrets, de désirs, de craintes, d'espoirs, de projets. L'homme spirituel,

sans nier le temps, vit dans l'éternité. « Cheminant
le long d'une dimension temporelle agencée *ad hoc*,
comme dit un mathématicien, il émane de l'auteur
de la nature comme de sa source et y retourne comme
à sa fin [1]. »

Quel but la vie? L'homme qui a une âme sait
qu'il fait partie de l'univers, de l'iris comme de la
Voie Lactée, que « tout fragment de matière est une
colonie d'âmes » (Leibnitz) et que sa propre identité
s'accroît du fait qu'il cesse de s'éprouver comme
séparé. Il lui vient de tout cela un contentement,
une allégresse d'exister, une dilatation, une musique.

Des Dogons me montrèrent un pot à beurre. Le
pot était le monde. Le pied, un Atlas écrasé par le
monde, le cou élongé, le menton sur le nombril.
Sur le couvercle fleuri, un petit bonhomme jouait de
la flûte. On m'expliqua :

— C'est dur, de porter le monde. Mais c'est
pour que quelqu'un, dessus, puisse jouer de la
musique.

*
* *

Je ne vois pas pourquoi je ferais l'immense effort
de me défaire de Dieu. Je ne suis pas sûr que cet
effort soit nécessaire. Je crois en Dieu et je prie.

Il n'est de jour où je ne prie plusieurs fois. Non
pas vaguement, et d'intention. Avec des mots et dans

1. Costa de Beauregard.

la position qu'il faut. Je dis le « Notre Père » et je
fais comme Hugo : « Ma prière : Dieu, accordez-moi
en lumière et en amour tout le possible de votre infini.
Ensuite je prie en détail, ce qui semble inutile, mais
non. » Je prie aussi en détail. Ce qui semble inutile,
mais non. Je prie pour des proches, pour des gens,
pour moi. Je fais une prière humaine, trop humaine,
manière vieux village, je sais. Mais la prière qu'on
adresse, dans l'élan du cœur, en dépit des hautes
vues qu'on prétend avoir, à du divin bonhomme
plutôt qu'à quelque abstraction métaphysique, est
tout de même une voie vers l'âme. Elle nous met
en surplomb de notre propre personne. Elle n'abolit
pas nos limites, mais nous rend présents à de l'illimité. Des églises très magnifiques se trouvent parfois au bout de chemins de campagne.

Je sais qu'il est naïf de demander quelque chose,
pour les autres comme pour soi. Je le fais quand
même. Et quand même j'y crois. Même si c'est vain,
l'amour qui fait qu'on demande n'est pas vain. Et
puis, il y a derrière ces demandes une rectitude
cachée. On sème des désirs de bien. On n'en cueil-
lera peut-être pas les fruits. Mais le bien, pour soi
et pour les autres, c'est de s'être recueilli. L'homme
éternel en nous resserre sa relation à l'ineffable. Il
se peut que le bien qu'on demande ne vienne pas.
Mais, de le demander, il nous est venu une plus
grande capacité de faire le bien. Et enfin, quand la
prière est « réussie », sous les mots et les demandes
s'ouvre une méditation sans mots ni demandes, d'où

l'on émerge ensuite avec la certitude charnelle d'avoir
reçu une puissance pure, et que cette puissance, en
nous, ne se perdra pas, ne cessera pas d'agir.

J'ajoute que ce n'est pas rien, dans la composition
d'une vie, que ces minutes d'unité. Sans pouvoir
mieux m'expliquer : je crois qu'elles correspondent
à la structure absolue. « La prière est une des grandes
forces de la dynamique intellectuelle. Il y a dans la
prière une opération magique », dit Baudelaire. J'en
suis sûr.

Je prie aussi pour être pardonné. Qu'est-ce que
cela signifie? La prière n'efface pas mes manques,
mes fautes. Pourtant, je crois que prier change le
passé, remonte le temps et en redresse la direction.
Mes indignités sont toujours là. Je les connais, mais
je ne les porte plus. Ou plutôt, elles pèsent toujours
leur poids de honte et de regret, mais elles cessent
de peser sur mon destin. Je suis libre, libre! Celui
qui prie, après qu'il a prié, marche dans la vie comme
s'il n'avait jamais cessé de marcher droit.

★
★ ★

Je m'arrête. Parlerais-je de tout cela par ouï-dire,
ou seulement en écrivain? Non, je sens tout cela.
Mais ne le sens pas assez. Je vis tout cela. Mais ne
le vis pas assez.

Je me souviens d'un soir neigeux, à Saint-Pierre-
de-Chartreuse où, pourtant heureux de cœur, de
chair, d'amitié et d'une petite gloire, je partis seul

vers le monastère et, serrant à pleines mains les barreaux de la grille, pleurai, debout, des larmes non sentimentales et sans fond. Si nous avions deux vies, la première pour apprendre à réussir la seconde, j'irais maintenant m'enfermer là.

II

Le fond de ma vie est ce que je nomme l' « attention priante ». La vie est un labyrinthe. On s'y perd à mesure qu'on cherche sa route. Il n'y a qu'une sortie possible : c'est de se placer en son centre. Je voudrais pouvoir dire tous les jours ce qu'a noté, dans son *Journal*, Julien Green un soir d'hiver : « Délicieuse journée. Impression de sécurité profonde, voisine de cette paix qui passe l'entendement dont il est question dans la Bible. »

L'attention priante :

Au-delà de mes souvenirs, de mes rêves, de mon savoir, de mes désirs, de mes sensations; derrière l'écran où se forment, se marient, se dissolvent et se recomposent incessamment des images mentales; au-dessus de ma raison; plus loin que ma conscience, réside mon être blanc, marbre enfoui, pareil à ces idoles des Cyclades, sans traits et pourtant humaines, visages à la fois exacts et indéterminés, non pas figures, mais hiératiques emblèmes de la figure.

Que j'arrête en moi le flot; que je fasse le silence

et l'immobilité, j'entre dans la lumière et la paix des profondeurs. La force et la joie de l'unité me poignent. Je suis mon origine, ma fin et mon éternité. Je peux répondre à la question « Qu'est-ce que je fais ici-bas? » : Je suis venu pour être.

L'alchimie de la solitude et du silence extrêmes, a déposé en moi un grain de vraie vie. Un instant, je fus réellement à moi, non dans un resserrement, mais dans un abandon et une élévation.

Je ne dis rien là de mystérieux. Chacun sait cela, plus ou moins. Le moine en oraison, ou, parfois, le pêcheur sur la rivière, à l'aube. L'homme à genoux ou le vieux sur son banc, tout occupé dans l'air du soir à faire de la durée.

« Marthe, Marthe, vous vous inquiétez et vous agitez pour beaucoup de choses, une seule est nécessaire » (Luc, X). Que le babil des jugements s'apaise, que le silence fleurisse, et que l'âme dise : je suis.

Chacun, ne fût-ce qu'une seconde, une seule fois, et avec une médiocre attention, a su qu'il approchait le souverain bien : cette possession de soi qui dévoile une sérénité au-delà de tout.

La philosophie éternelle, depuis des millénaires, répète cette vérité. En nous, un lieu fixe. En nous, une voix plus haute et plus juste que la nôtre. Et que la véritable aliénation est d'être séparé de ce lieu, sourd à cette voix.

*
* *

Ce n'est sans doute que l'étape laïque de la vie mystique. Elle n'illumine pas; elle éclaire une sagesse. Mais, du lieu où je parviens, je vois la vie mystique comme une vraie vie. Je découvre qu'elle est en nous, passant notre personne, la vie d'un Saint Quelqu'un capable de vérité.

Par l'attention priante, je tiens le fil qui me relie à la foule des esprits saints à travers le temps.

Toute pensée est pensée de quelque chose. Mais, ce qui détermine la vie mystique (philosophique, au sens antique, et celle du « poète-philosophe » dont témoigne Novalis), c'est la découverte de l'existence d'une pensée qui, cessant d'être liée à quelque objet que ce soit, se dévoile comme état suprême de la conscience.

La constance, l'identité des témoignages, indépendamment des époques et des cultures, suffirait à me convaincre de cette existence. Cependant, je l'éprouve moi-même, quoique à un degré faible, de façon fugitive, et, si je puis dire, laïquement. Mais c'est assez pour que ce bien surpasse tous les autres.

Fil que je tiens : Plotin, le Gréco-Romain :

« Souvent, je m'éveille de mon corps à moi-même. Alors je deviens extérieur aux choses, intérieur à moi, et je vois une beauté, je participe d'un monde supérieur. La vie que j'acquiers est la plus haute. Je m'identifie au divin, je réside en lui. »

A dix-sept siècles de distance, l'Hindou Vivekananda :

« L'esprit a un autre état au-delà de la raison, et
quand il a atteint cet état, alors vient la connaissance
au-delà de la raison [...]. Alors la vérité brille et l'on
se connaît soi-même pour ce qu'on est : libre, immor-
tel, tout-puissant, détaché du fini. »

Et les chrétiens; Johann Tauler [1] :

« Alors l'esprit est transporté au-dessus de toutes
les puissances dans une solitude immense. C'est la
mystérieuse ténèbre où se cache Dieu sans bornes.
On est pris par quelque chose de simple et d'illimité,
et dans cette unité le sentiment du multiple s'efface. »

Angèle de Foligno [2], au-delà du dogme :

« Quand je suis plongée dans ce bien et le contemple, je ne me souviens plus de Jésus, ni de quoi
que ce soit qui ait une forme. Je vois tout et cependant ne vois rien, je vois Dieu selon un mode qui ne
peut être exprimé ni conçu, je vois que c'est le bien
absolu. »

*
* *

Je le sais : tout cela n'a aucun sens dans notre
climat culturel. Ce qui est étranger à l'homme-ma-
chine n'existe pas. Si l'étrangeté persiste, n'en pas

1. Johann Tauler, dominicain allemand du XIVe siècle :
Sermon pour le deuxième dimanche après l'Epiphanie.
2. Angèle de Foligno, italienne : Propos à son confesseur,
le capucin Arnaud.

faire problème : ça s'effondrera à bref délai. On trouvera les causalités triviales.

Dans des laboratoires béhavioristes (psychologie du comportement), en stimulant des zones du cerveau chez le rat, on procura à la petite bête un plaisir qu'elle parut préférer au coït. On en conclut qu'il s'agissait du siège de l'extase mystique.

Je me souviens d'un article sur les lemmings. Ces migrateurs, parfois, se suicident collectivement en se précipitant dans la mer. L'énigme demeure. L'auteur tenait une explication. Les lemmings sont myopes. Il était bien content. Il terminait en souhaitant que « tous les mystères soient un jour ramenés à une simple question de myopie ».

Si le matérialisme n'apporte pas encore toutes les explications définitives, attendre tranquillement. On trouvera un jour le moyen de réduire l'expérience intérieure dont parlent tant de grands hommes, depuis cinq mille ans, à la chimie ou à la mécanique. Il sera prouvé que le « suprême bien », dont se recommanda toute conscience philosophante, ne fut qu'une illusion tenace, et toute la littérature spirituelle un poème de l'ignorance [1].

La science progresse en indiquant l'immensité de l'ignoré. Ce n'est pas la science, ce sont certaines « sciences de l'homme » qui forment l'opinion, propageant une scolastique matérialiste revêtue, par em-

1. Ce débat, remarquablement analysé par Aimé Michel : *Psychologie et physiologie des états mystiques. L'Homme et l'Ineffable,* CAL, 1973.

prunt, d'autorité scientifique. Elles procèdent par rationalisations verbales incontrôlables, mais elles créent le climat dans lequel ce que je dis est irrecevable et ne sera sans doute pas même entendu. Et pourtant, si Plotin dit vrai, l'univers des causalités et des déterminismes n'est pas le dernier mot des choses.

A voir, d'ailleurs, l'empressement avec lequel on s'adresse au monde matériel pour se fournir en explications, c'est à croire qu'il existe une firme concurrente qu'on n'aime pas et qu'on veut couler. Il y a en effet, je crois, une firme concurrente.

Croyant ce que je crois, suis-je un malade? un naïf? Il paraît que je suis les deux.

La psychanalyse freudienne renvoie mon « attention priante », et tous les états mystiques, à l'hystérie. « Sentiment de félicité qui s'empare de certains sujets au cours de crises à tonalité hystérique et [ou] mystique. [...] Cette singulière névrose traduit l'activité de parties les plus regressives de la personnalité [1]. »

Ainsi, la « délicieuse journée » de Julien Green, est un jour de névrose. Et pour Jacob Boëhme, Aurobindo ou Simone Weil : mise en veilleuse de l'intelligence, régression de la personnalité.

La psychanalyse est allée plus loin dans l'interprétation. Un psychiatre, Isakower, découvrit, en

1. Held.

1938, que certaines personnes, à l'instant de s'endormir, souffrent des sensations suivantes :

« Une masse large semble s'approcher du sujet. Parfois, c'est comme un nuage gris. Cette masse l'enveloppe, tandis que l'impression de rugueux, de pâteux et de rêche, envahit la bouche et la peau. En même temps, le sujet perd le sens de l'identité. Il ne sait plus où s'arrête son corps et où commence la masse. »

Ce phénomène existe. Je l'ai éprouvé maintes fois durant l'adolescence. Je traduisais par : « Je vois gros »; impression de masse insolite du corps et de ses environs. J'allumais la lampe et retrouvais la normalité. De loin en loin, plus tard, je l'éprouvai encore. C'est gênant, non inquiétant. Un trouble des sensations (comme, pour d'autres, l'impression de chute brusque) qui se réduit aisément : faire de la lumière, prendre un livre. Je fus sujet à cette bizarrerie. Je doute qu'elle fût cause que je crois à l'âme.

En 1946, Lewin lia le phénomène d'Isakower à l'archétype décrit par Jung. Selon Jung, une forme hante notre inconscient. C'est un cercle blanc qui évoque à la fois le sein maternel, le soleil, la lune, l'idée de fécondité, la nature en gésine et, à la limite, Dieu.

J'admire Jung, mais trouve son mandala très hypothétique. Et il ne m'a jamais hanté quand « je voyais gros ».

A la suite de quoi, Prince et Savage, ont « démystifié » l'attitude mystique. Il s'agit d'une extension

sophistiquée du phénomène d'Isakower : une névrose
de retour au sein maternel. Cette explication est généralement admise. Les bouts de seins de Mme Eckhart
mère, rendent entièrement compte des sermons de
Maître Echkart sur le regard intérieur.

« Nous pensons que les états mystiques sont des
regressions à des périodes très précoces de l'enfance.
Les caractéristiques de base suggèrent une régression
à la tétée. »

L'énorme abondance des témoignages et des œuvres, des Upanishads à Husserl, « correspond probablement à des variations dans les profondeurs du
retour à des instants plus ou moins anciens ». Et
toute la poétique de l'ineffable est le reflet de « ce
que furent les sensations premières de la tétée, agréables ou effrayantes ».

Je ne conteste pas l'importance de Freud. Je constate que la psychanalyse, qui fit une si courte carrière
en science, en fait une énorme en littérature. Et
que cette littérature est un hymne à la réduction par
le bas, une longue saga de l'avilissement.

Toute illumination prétendue, ne saurait être inter-
prétée que comme plongée dans des zones de régression : des bulles de vase remuée. A l'appui de leur
thèse les auteurs évoquent la nuit où Poincaré découvrit la solution des fonctions elliptiques. L'état où
se trouvait le mathématicien : régression au service de
l'ego, mise en sommeil de l'intelligence; phantasmes
du sein maternel.

Poincaré, lui, a raconté ceci :

« Chaque jour, je m'asseyais à mon bureau; j'y restais une heure ou deux; j'essayais un grand nombre de combinaisons et n'obtenais aucun résultat. Un soir, contrairement à mon habitude, je pris du café noir et ne pus dormir. Les idées me venaient en foule; je les sentais entrer en collision par paires. »

A moins que les idées mathématiques affluant par paires : les deux seins de la maman d'Henri?...

Dans le même ordre d'interprétation, Alexander Mitscherlich, chef de l'école freudo-marxiste allemande, résout les questions sur le rêve de Kékulé [1]. Ce chimiste allemand eut, en songe, la révélation de la structure du benzène. Il comprit que les atomes de carbone n'étaient pas disposés linéairement, mais circulairement. Il le comprit en rêvant d'un serpent qui se mordait la queue. Mitscherlich ramène cet événement célèbre à ceci : Kékulé, victime du puritanisme imposé par la bourgeoisie aux classes laborieuses, était célibataire et chaste. Serpent = pénis. Le serpent qui se mord la queue est aussi, il est vrai, un symbole alchimique. Mais l'alchimie ne fut, pendant dix-sept siècles, qu'une rêverie d'accouplement. Ce symbole érotique nargue, dans l'inconscient sexuel, la société privative. Enfin, si Auguste Kékulé, qui inaugura par cette découverte la chimie moderne,

1. Alexander Mitscherlich : *Kekules Traum, Psychologische Betrachtung einer chemischen Legende, Psyche, Zeitschrift für Psychoanalyse und ihre Anwendung*, XXVI. Jahrgang, 9. Heft, September 1972 (paru aussi dans l'hebdomadaire *Die Zeit*, 17-9-1965, p. 19).

rattacha son rêve à la structure en anneau de la molécule de benzène, c'est pur hasard. Etc. Tout cela affirmé, le poing du doktor sur la table. Cependant, une note en bas de page et en petits caractères, signale que cette découverte eut lieu, sans qu'on puisse préciser, entre 1861 et 1863, et que Kékulé se maria en 1862. Aucune importance. Juste un petit fait indiscipliné qui se glisse dans une théorie satisfaisante.

Un autre membre de cette école explique Socrate par le déplorable accouchement aux fers de madame Socrate mère. La philosophie du sage (maïeutique : art d'accoucher les esprits) n'est qu'une tentative de compensation des traumatismes de la naissance, et l'effort d'un esclave pour dominer une société qui réserve la puériculture aux classes exploitantes.

*
* *

La rage d'expliquer le haut par le bas. Démystifier. Connaître est, en effet, démystifier. Mais serait-ce forcément abaisser? Je pense qu'il y a aussi une démystification par le supérieur.

Je ne nie pas l'utilité, en psychologie, d'une science des marécages. Cependant, je crois qu'il nous manque deux sciences : une de la terre ferme et saine, et une des sommets.

Je crois à des fonctions de l'esprit au-delà de la conscience ordinaire. Les recherches sur la physiologie du cerveau (rythmes d'ondes) montrent, dans les états de concentration de type mystique, l'existence d'une activité cérébrale différente des activités pendant l'endormissement, le sommeil ou la veille. Ces recherches deviennent nombreuses. Les moyens sont encore rudimentaires. Ils suffisent pour qu'on ne puisse douter qu'il y a « autre chose ».

Je ferai deux autres remarques.

La première : le freudien analyse (ou plutôt interprète) les états religieux en les isolant. Mon « attention priante » est un effort volontaire, et la somme de tout un comportement. A un plus haut niveau, les félicités de Jean de la Croix ou de Ramakrishna, impliquent une longue ascèse, des règles précises, et un vouloir fixe. Le psychanalyste applique son interprétation à ces états, en voulant ignorer le corps de pensées, de sentiments, de règles et de volontés qui les détermine. Si je suis freudien, décidant d'ignorer tout du sport, de ses joies comme de ses exigences, je décrirai ainsi un championnat de course à pied : « Crises à tonalité hystérique (avec hyperactivité des muscles de la marche) engendrées par une névrose de fuite. »

La seconde remarque : les régressions, les retours aux impressions de la tétée, sont démentis par la physiologie cérébrale. Les observations prouvent que le cerveau du nourrisson (sommeil, rêve, veille indifférenciés) n'a pas d'enregistrement comparable au nôtre. Le nôtre ne saurait régresser dans le sien [1].

Réduire le complexe au simple, fonde la démarche scientifique. La connaissance progresse quand on a

1. Cf. l'ouvrage d'Aimé Michel.

vaincu la complexité apparente. Mais elle recule
quand la peur d'une complexité plus grande incite
à une hypothèse réductrice purement verbale. La
science exacte rejette l'hypothèse qui a un élément
de gratuité. La psychanalyse, non. Elle la maintient.
Elle l'affirme. Elle renchérit.

On a enfin ramené l'expérience intérieure (de
Ruysbroeck ou de Krishnamurti, de Milarepa ou
d'Allan Watts) à la schizophrénie, ou à l' « inhibition
sensorielle sélective » qui est celle du chat guettant
la souris. Mais, là encore, ce qui se passe dans le
cerveau durant les pratiques ascétiques, n'est jamais
observable en physiologie cérébrale, ni chez le bébé,
ni chez l'animal, ni dans les maladies mentales, ni
d'ailleurs dans l'état ordinaire.

L'esprit de négation fondamentale, qu'on nous présente pour la fleur piquante, sublime et inédite de
« notre époque de mutation » est, en réalité, vieux
comme le monde. Ce débat affectait déjà un moine
chinois du VIIᵉ siècle, que les Doktors du temps voulaient persuader de son inanité.

— D'accord, disait-il, d'accord, toutes les mesures
sont non-mesures.

Il ajoutait la seule chose à dire au VIIᵉ comme au
XXᵉ siècle :

— Mais avec mon intuition, quel rapport ?

Mon petit doigt me dit que Pythagore n'était ni un
nourrisson, ni un fou, ni un chat.

*
* *

Je me suis beaucoup intéressé à la parapsycholo-
gie. Mais plus encore à la psychologie et à la physiologie des états mystiques. Adolescent, quand Romain
Rolland me fit découvrir l'ascèse indienne, une note,
à la fin de son livre *la Vie de Ramakrishna,* m'incita
à consacrer mon existence à cette recherche. La pau-
vreté de mes parents et la guerre m'empêchèrent de
faire les études nécessaires pour m'y préparer. Du
moins ai-je, durant trente-cinq ans, suivi les travaux
dans ces domaines qui intéressent davantage aujour-
d'hui.

« Il y a des états supérieurs de conscience. Le
premier échelon est le génie. Les autres sont incon-
nus et tenus pour légende. Troie aussi était tenu pour
légende, avant que Schlieman la découvrît, a écrit
Gustav Meyrinck. Je crois aux « miracles » qui s'at-
tachent à la sainteté. L'authenticité de ces manifestations (poids ou légèreté extrêmes du corps, chaleur
ou lumière vives se dégageant de la chair, stigmates,
voyance, etc.) a été dûment constatée.

J'ai longtemps pensé que ces faits extraordinaires
n'attendaient qu'un peu d'ouverture d'esprit scientiste pour entrer dans notre univers de connaissances.
Je luttais contre le refus de considérer.

Ce refus de considérer est de tradition rationaliste.
Il se recommande de la science. En vérité, il est
métaphysique et magique, Métaphysique : faire un

absolu du déterminisme. Magique : projeter ses pré-
férences sur la nature est un acte magique. Ce
matérialisme est une incantation, et le scepticisme
sans examen, une superstition. Une telle attitude est
encore répandue, particulièrement en France. Mais
c'est une désuétude.

Cependant, la science s'est quelque peu ouverte à
ces interrogations, surtout depuis que la physique a
ébranlé le dogme déterministe. Mais les faits mystiques refusent obstinément de se ranger parmi les
faits « naturels ». Comme s'il y avait, effectivement,
une firme concurrente de la nature.

Connaître, en science, signifie d'abord : savoir re-
produire. « La foi de tout savant, sans laquelle il n'y
a pas de science, c'est que toute expérience est repro-
ductible » (Claude Bernard). Cet article de foi est
indispensable. Mais il n'interdit pas au savant curieux
de constater l'existence de faits non reproductibles,
s'il y en a. Il y en a. Il ne lui interdit pas non plus
de chercher à savoir *comment* ils se manifestent en
tant que tels. J'ai souhaité que le savant considère
le fait mystique. J'ai rêvé d'un beau mariage entre
la méthode expérimentale et l'expérience intérieure.
Ce rêve procédait d'une vision naïvement unitaire.
L'enquête sur le « prodige » religieux introduit l'idée
inadmissible et supérieurement logique, qu'il y a
un monde constatable et pourtant non réel du point
de vue de la science.

En d'autres termes : si l'univers et l'homme n'engendrent que partiellement des faits reproductibles,

même si cette fraction est de loin la plus importante, la science n'est qu'une vision à jamais partielle de l'univers et de l'homme.

Il nous faudrait accepter deux ordres de phéno-mènes, bien que cela nous répugne. Pour l'esprit scientifique, la nature ne saurait jouer deux jeux à la fois. Mais Dieu a peut-être caché des cartes sous la table.

L'étude des sommets devrait renoncer à la science (sauf pour les constats) et se constituer en magisme éclairé. Un magisme objectif, en quelque sorte. C'est le savoir du gourou ou du directeur spirituel, mais dont l'expression est encombrée d'un fatras symbo-lique. Sous cette littérature, la géographie d'un autre monde dont il faudrait relever la carte. Il existait des clés des songes. Freud tarit leur discours, mais privilégie les rêves et, en les confessant, dresse la carte de l'inconscient sexuel. Il fait progresser la con-naissance de l'homme. Cependant il fonde moins une science (au sens Claude Bernard) qu'un magisme éclairé. La séance du divan procède plus de la des-cente initiatique que de la médecine. La psychanalyse est un magisme. Et comme telle, efficace. Elle est irrecevable quand elle emprunte à la science la vo-lonté de tout expliquer. Mais c'est une bonne appro-che des sous-sols, comme il nous faudrait une bonne approche des sommets.

Comme le psychanalyste (mais au nom d'un autre domaine) je pense que la psychologie du comporte-ment (behavioriste ou pavlovienne), seule à respecter la méthode expérimentale, ne cernera jamais qu'une part de l'homme : celle qui se prête à l'expérimentation. Quand elle prétend qu'il s'agit de la totalité, elle prend pour tout l'amour, l'amour avec une fille qui prête son corps.

Les « prodiges » mystiques : ce n'est pas impossible. Mais on ne peut dire comment c'est possible. L'esprit, en un état particulier, manipule le corps de façon extraordinaire. Voilà tout.

Cette extatique hindoue, qui vécut dans le jeûne absolu :

« Mère, lui demandai-je doucement, à quoi sert que vous vous soyez singularisée en vivant ainsi sans nourriture?

— A prouver que l'homme est esprit », me répondit-elle dans un souffle.

La question est : quel esprit? Quel esprit joue de façon insolite avec les lois naturelles? Or, il n'y parvient qu'à travers une ascèse délibérée, volontaire, dont il nous parle confusément comme d'une voie du cœur et une joie. L'autre question : quel est l'acte fondamental de l'ascèse? Et comment cet acte produit-il dans l'esprit un inimaginable surcroît d'information qui lui permet d'agir sur les structures de la machine humaine et de la matière?

*
* *

Je me suis fait une théorie. Je vais la résumer.

1° La conception orthodoxe de l'évolution des espèces suppose une loterie. Toutes les structures disponibles du répertoire animal sont dans la boîte noire qui tourne. Une espèce tombe par hasard sur le bon numéro. Elle se trouve ajustée aux nécessités de l'environnement. Elle a gagné au loto des mutations favorables. Les malchanceuses se retirent du jeu.

Il y a une autre conception. Koestler l'a justifiée [1]. L'évolution procède par tâtonnements, mais orientés vers un but : une forme stable du vivant doué de conscience, l'homme. La vie explore, rencontre des impasses, revient en arrière pour mieux sauter. Exemple : l'embryon de singe ressemble plus à un homme qu'à un singe adulte. Le singe est un homme qui n'a pas abouti. L'évolution a repris le projet avec les primates pour le mener à bien. Elle a reculé dans une forme moins engagée, mais la retraite a été suivie d'une avance soudaine dans la bonne direction. De même, les races inviables vieillissent, mais confient la suite à leurs embryons qui reprennent un meilleur départ. Il y a métamorphose au stade de l'embryon quand il y a dégénérescence au stade adulte. Cette métamorphose assure l'évasion d'un cul-de-sac dans le labyrinthe de l'évolution. Un retrait et un bond.

2° La régénération. Dans les formes les plus humbles de la vie, elle est spectaculaire. Si l'on coupe en morceaux une planaire, chaque tranche refait une planaire complète. « La régénération est l'un des tours de magie les plus étonnants du répertoire des

1. Arthur Koestler, *Le Cheval dans la locomotive ou le paradoxe humain* (éd. française Calmann-Lévy, 1968).

organismes vivants » (Needham). A mesure que l'on s'élève dans les espèces, la faculté de régénération des organes diminue. Elle est remplacée par une capacité croissante du système nerveux à réorganiser le comportement.

Cette capacité culmine chez l'homme. C'est le surdoué de la régénération psychique. Comme si la faculté d'agir sur son propre esprit relayait en lui la dynamique de l'évolution. Koestler donne l'exemple des lunettes spéciales, qui mettent le monde à l'envers. On a pratiqué, chez des animaux, reptiles et singes, des modifications du nerf optique qui produisent le même effet. Ces animaux cherchent à droite ou en haut, la nourriture qu'on leur présente à gauche ou en bas. L'homme, après quelques jours de trouble, et bien que l'image rétinienne et sa projection sur le cortex visuel soient inversées, réorganise ses images mentales. Il lui a fallu, sans qu'on sache quel échelon de la hiérarchie supérieure intervient, défaire et refaire des circuits, annuler le schéma de montage originel, en établir un autre.

Le tour de magie de la régénération, qui ne s'effectue plus au niveau du corps brut, mais du mental, correspond au processus du tâtonnement évolutif : impasse, traumatisme, retour en arrière, défaire et refaire, régression, réorganisation, libération. Arrêt, retrait, et résurrection en un autre état.

Or, il en va de même dans les mystères antiques, dans les pratiques chamaniques, dans le psychodrame de l'initiation, et dans toute ascèse spirituelle :

rupture des mécanismes mentaux usuels, retour aux origines, rebrousser chemin, et opérer une métamorphose pour resurgir dans un champ de liberté plus vaste. Comme si toute la tradition spirituelle était la révélation de la loi qui préside à l'évolution et aux régénérations. Comme si elle était la conscience de la dynamique profonde du vivant. Tous les rituels initiatiques et toutes les symboliques religieuses se fondent sur ceci : mort, métamorphose, résurrection dans un nouvel état. Renaissance, corps glorieux. Joseph dans le puits. Jonas dans la baleine. Jésus sortant du tombeau. La mort et le retour d'Hiram.

3° Ce que Koestler nomme « le cadeau surprise de l'évolution ». Idée que j'exprimais déjà dans *le Matin des magiciens*. Chaque organe est entièrement affecté à l'adaptation au milieu dans lequel l'animal apparaît. L'homme, cas unique : il a touché de l'évolution un organe qui dépasse ce rôle. Mieux encore : dont il ne sait pas entièrement se servir. Des milliers d'années, sinon des millions (l'histoire des philosophies, des techniques, des sciences) pour actualiser une part infime du potentiel de son cerveau. Et encore neuf dixièmes inutilisés. Une immense machinerie en sommeil, sans que nous sachions quel levier abaisser, ni d'ailleurs quel travail commander. Notre cerveau : peut-être la maquette complète de l'univers. L'ordinateur suprême. Et nous, avec cela, sans le mode d'emploi. Tapotant quelques touches. Pas assez de doigts. Et une envergure lilliputienne pour cet orgue géant. Comme s'il y avait eu erreur dans les magasins du

Créateur. Au lieu d'un boulier, cet appareil pour les dieux.

Il s'est produit un malentendu. Nous n'étions pas faits pour ce que nous avons reçu. Ou bien nous avons pris un mauvais départ pour utiliser le cadeau. « Je suis d'un pays qui n'existe pas encore » (J. Craveirinha). Par ce cadeau, l'évolution s'achève à nous. Mais nous devons reprendre, au point de malentendu, le projet d'achèvement de l'évolution.

4° Koestler pense que, par la chimie, nous parviendrons à utiliser complètement notre cerveau, et que nous pénétrerons ainsi dans la condition suprahumaine à laquelle était destiné le cadeau extraordinaire. Je me demande si sa vision n'est pas, elle aussi, naïvement unitaire. Je doute que nos modes de connaissance, dans le pays d'attente, suffisent à nous conduire au « pays qui n'existe pas encore ». Je devine un abîme, entre les deux pays, qu'il doit falloir franchir autrement. J'imagine enfin que, l'abîme franchi, le monde que nous aurons quitté s'éteindra pour nous. Nous ne continuerons pas à faire. Nous serons dans une immensité de l'être, où le sens de l'action et de la destinée aura changé. Je crois en la science, mais pas exclusivement. Je crois qu'un autre ordre de réalisation est disponible dans notre nature. Et que la tradition spirituelle nous parle de cet autre ordre. Tradition immémoriale, qui fonde les religions, toutes les pratiques initiatiques, et qui, mystérieusement, en dépit de tout, demeure vivace, comme s'il s'agissait d'une loi du vivant. Cette tradition nous dit que nous ne sommes pas achevés; que notre être n'est pas accompli; que nous avons reçu une haute vie dont nous avons mésusé. Que nous devons reprendre les choses au commencement, par un acte personnel qui implique volonté et amour : deux grandes étrangetés. Que nous devons mourir à nous-mêmes, avec volonté et amour, pour nous « retrouver » et renaître ainsi métamorphosés en un autre état, voulu par Dieu, où toute connaissance nous appartiendra. Mais une connaissance telle qu'elle ne sera plus un agir : une joie rayonnante, une contemplation, une étoile fixe dans la musique des sphères.

Je crois que la voie mystique est cet autre ordre de réalisation qui nous est imparti pour achever en nous l'évolution. C'est une régression, comme disent les freudiens, mais pour un singulier dépassement qui réalise le vœu du Créateur.

Il y a des degrés dans la voie mystique. Mon « attention priante » est le premier. C'est la fonction de veille de l'homme ordinaire. Nous le savons tous, clairement ou non. Chacun, au fond de soi, quêtant des minutes d'unité et de paix supérieures, vénère cette fonction, la tient pour essentielle. Chaque fois que l'esprit suspend l'esprit, chaque fois qu'il y a recul, silence, distance, nous savons dans nos tréfonds que nous sommes en direction d'un autre ordre des choses, de nous-mêmes, du monde.

Je crois que la voie mystique, c'est tenter de revenir au premier moment de la Création de l'homme, à l'instant où le trop beau cadeau fut reçu. Au bout

du chemin mystérieux que nous creusons en nous-
même, nous re-connaîtrons ce cadeau. Nous réap-
prendrons à l'utiliser. Il nous en viendra des éclaire-
ments inattendus, des illuminations, des communica-
tions nouvelles, des pouvoirs, une connaissance suprême en quoi nous nous fondrons. Mais le chemin
est une expérience intériorisée qui nous mobilise
entiers, et qui nous invite, de manière de plus en
plus pressante, à mourir pour renaître en un plus que
nous-mêmes. Sacrifie! Sacrifie! telle est la voix de
l'expérience, toujours plus forte, plus chaude, et
incompréhensiblement plus heureuse. Si rien n'est sa-
crifié, rien ne peut être obtenu. Et ainsi l'on monte
les degrés : l'attention priante, la méditation, la
prière, le retrait du monde, les hautes ascèses...

A chaque degré correspond un degré dans le sentiment de plénitude, de liberté intime, de situation
juste, d'harmonie universelle. Au sommet, dont tant
d'extatiques ont témoigné, tout ce que nous sommes
nous apparaît. Notre cerveau est la maquette complète de l'univers, où sont incluses d'autres structures
de la matière, de l'espace, du temps. L'esprit peut
tout, parce qu'il est tout. Cependant, les prodiges
sont tenus pour négligeables par ceux qui les engendrent : accessoires, manifestations latérales, et même
gênantes. L'esprit peut tout. Et pourtant l'esprit en
cet état ne tisse ni ne file. Il ne fait ni ne parle. Il
rayonne dans l'indicible. Rien d'autre. Il est dans la
jubilation de son infinité. Il célèbre la création. Il est
la création.

III

C'était avant la guerre. J'avais seize, dix-sept ans. Au bout des pommes de terre, la cabane à outils était mon oratoire, le grenier du poète, la colonne du stylite. J'eus une révélation. Sur un grand tableau noir, j'écrivis « Christ et Rimbaud ». Avec un copain, un frère, j'allai au crépuscule sauver le monde. Tenant le tableau dressé haut, nous marchions dans les rues de banlieue qui s'appelaient « allée des Roses », « chemin des Violettes », seulement vus par les clebs qui aboyaient aux grilles.

Nous rêvions de partir pour les Indes; nous allions en forêt de Sénart, une couverture sur les épaules, un bâton à la main, lire Ramakrishna sous le plus gros chêne.

Et puis, aux vacances, on fuyait le monde et ses machineries. On gagnait à pied les déserts de la France, on faisait des communautés d'évadés, on chantait autour des feux, on prenait des bains de fraternité dans les auberges de la jeunesse. Ah! les enfants, tout cela n'est pas neuf!

Tout cela n'est pas neuf, mais s'est accentué et élargi d'une génération à l'autre. J'étais médium. J'entendais venir la marée.

Cette année (1973) le patron d'une des plus grandes entreprises d'audio-visuel en Occident, s'est retiré trois mois et a parcouru le monde, pour réfléchir. Que faudra-t-il produire dans la prochaine décennie?

Au retour :

— Messieurs, il faut faire dans le sacré.

Les enfants, j'ai quelque chose à vous dire. Méfiez-vous du sacré. Méfiez-vous du sentiment du sacré. La vie spirituelle n'est pas une affaire de sentiment. Comme toute conduite de la vie, c'est une affaire de volonté, d'intelligence et de savoir. Beaucoup d'intelligence pour suspendre le discours de l'intelligence. Beaucoup de savoir, pour désapprendre. Méfiez-vous du pittoresque du sacré. Le pittoresque ne vivifie pas l'esprit, il le stupéfie. « Le voyageur, dit Max Jacob, tomba mort, frappé par le pittoresque. »

Ce qui compte : la lucidité, la discipline, l'expérience nue. La vie spirituelle n'est pas une ornementation. C'est un décapage. Il y a toujours un moment où l'ornementation ne peut être poursuivie. Elle s'arrête, à saturation. Le temps et les intempéries la détruiront. Le décapage est sans fin. Il s'agit de pratiquer l'expérience nue dans la vie ordinaire, dans notre monde, là où nous sommes, dans le béton, dans le métro, au travail, chez nous. Le temple est partout. Entre les deux guerres, quelqu'un au Quai d'Orsay, constatait : « Il y a de plus en plus de gens qui veulent bien croire en Dieu, mais à condition qu'il porte des babouches [1]. » Méfiez-vous aussi de l'émotion et de la manifestation. Vivekananda à New York dans la serre chaude des crédulités, des désirs humides, des cœurs gros-comme-ça : « Mais réagissez donc contre vos spasmes de petites femelles! Prenez garde! De ceux qui cultivent cette religion de l'émotion ostentatoire, 80 pour cent deviennent des gredins et 15 pour cent des fous! » On n'a que faire des révoltes des inadaptés, des envies de vacances des paresseux. Et ne cherchez pas le père, cherchez-vous. Devenez votre propre père. Enfin, à ceux qui vont au gourou, qui brûlent de l'encens, qui se déguisent en petite fleur, qui ne mangent que du soja, qui vont d'un Katmandou à l'autre, j'ai à dire l'antique proverbe chinois : « S'il suffisait de s'asseoir sur ses cuisses croisées pour connaître l'état d'éveil, toutes les grenouilles seraient Bouddha. »

La vie mystique n'est jamais une folie. Mais parfois la folie, plus souvent une lamentable tromperie sur soi; les autres, le monde guettent ceux « qui ont un grain de mysticisme dilué dans un océan de monomanie [2] ». J'ai vu trop de ces tromperies. J'ai assisté à trop de désastres. J'ai trop souffert de sentir, chez une femme que j'aimais, l'esprit se fêler et, dans cette fêlure, disparaître l'amour. Méfiez-vous de vous-

---

1. Berthelot, je crois.
2. Professeur Assagioli.

mêmes! Et, surtout, méfiez-vous des maîtres! Il y a
des crimes aussi épouvantables que des meurtres phy-
siques.

Les miroirs fêlés ne portent pas malheur, mais les
cerveaux fêlés, si.

N'invoquez pas les esprits, soyez esprit vous-même.

*
* *

Je crois à l'invisible. Mais l'invisible n'est, pour
moi, que du visible qui attendait de l'attention. L'attention est la faculté maîtresse.

J'habite maintenant une autre banlieue, belles maisons et parcs. Mon fils avait sept ans. Il revient en
courant du fond du jardin :

— Papa, j'ai vu deux lièvres!

— Oh! tu es sûr?

— Un, en tout cas.

— Incroyable! Tu le jures?

— Peut-être une peau de lapin...

— C'est vrai? Bien vrai?

Je sens que c'est grave. J'insiste. Il se trouble, ses
lèvres tremblent :

— Peut-être une peau de lapin...

— Ça ne court pas, une peau de lapin.

— Mais je courais vite, moi, j'ai cru qu'elle bou-
geait!

Ses yeux fuient, des larmes perlent.

— Bon, je parie que c'était seulement un chiffon.

Il suffoque. Le monde épais le martyrise :

— Non! Non! Ce n'était pas un chiffon!

— Ce n'était pas non plus une peau de lapin?

— Non, mais un vrai os de lapin. Un gros.

— Gros comment?

— Un petit os, papa.

Il s'enfuit dans sa chambre, ferma les volets contre le jour, se jeta sur son lit et s'endormit en pleurant, le poids du monde sur le cœur.

Il ne s'était pas précipité vers moi pour mentir, mais pour m'annoncer un faux secret sublime : c'était son rêve qui était le réel. Puis il avait fallu redescendre de lièvre en lapin, et de peau de lapin en petit os. C'est une expérience amère pour un petit garçon.

Mais il faut devenir adulte. Le monde est réel, tel quel. Il n'y a aucun substitut. La question est : que je me fasse, moi aussi, réel. Comment devenir réel? Au moins par l'attention priante. C'est le premier pas. Suspendre mon discours, mes musiques, mon cinéma, mes désirs, mes émotions, mes attachements. Nu dans le silence nu. Distant de tout. Dans l'unité et dans cette paix qui passe l'entendement. Revenu à l'être. Et puis la prière. Pas de jour sans prière. Et hors ces moments, vivre comme tout le monde, me connaissant, ayant vu à distance ma personne, qui vaut ce qu'elle vaut. Mais la vie-comme-tout-le-monde se trouve soutenue. Il y pénètre des vertus, une allégresse et une liberté inattaquables, quoi qu'il puisse survenir. Alors, je vois le monde. Les voiles qui me le faisaient croire ennemi s'en vont. Il est, voilà tout. Quelles que soient les apparences, qu'il soit est beau.

Le monde ne nous montre sa vraie face que lorsque
nous avons nous-mêmes un visage. Dieu, sans doute,
fait de même.

*
* *

Une nuit, on m'enferma dans un cabinet froid
comme une douane, avec un crâne de mort, et l'on
m'enjoignit d'établir mon testament spirituel. Je ne
suis pas émotif dans les circonstances singulières.
L'essentiel me vint. J'écrivis sans rature, et fus prêt à
n'importe quoi.

Je crois à la liberté absolue de l'homme. Que je
suis, si je le veux, maître de mes représentations,
et qu'ainsi le bien et le mal dépendent de moi.

Je crois en la coïncidence de la volonté du sage et
du destin.

Je crois en une parenté de l'homme et de Dieu.

Je crois à l'identité de la vertu et du bonheur.

Je crois que Dieu est dans mon âme. Que l'attention, la méditation et la prière font mon âme.

Je crois que l'homme n'est pas achevé. Qu'une part
de sa propre création lui incombe. Qu'il doit lui-
même faire germer son âme, le Je unique et transcendant qui a toute connaissance et contient tout.

Je crois que chaque homme dispose d'instinct divin. S'il reconnaît en lui cet instinct et le cultive, il
est délivré des hasards et des dépendances. Il découvre que les circonstances de sa vie, les êtres, les événements, les choses, lui sont envoyés pour son progrès

intérieur. Il cesse d'avoir des accidents pour avoir un destin. C'est ainsi que je comprends la Providence.

Je crois à l'éternité. Souvent, à cause de mon inattention, mon âme meurt. Mais il y a un état dans lequel mon âme cesse de vivre de façon discontinue. Alors, dans cet état, même s'il est bref, mon âme est dans l'éternel. « Car l'éternité est la pleine possession de soi en un seul et même instant [1]. »

1. Saint Augustin.

IV

Marc Aurèle, combattant les chrétiens à l'intérieur et les barbares sur les marches de l'empire : « Seras-tu donc jamais, ô mon âme, bonne, droite, une, nue, plus manifeste que le corps qui t'enveloppe? Goûte-ras-tu donc jamais la disposition à trouver tout bon et à tout aimer? »

Antonin mourant donne pour mot de passe à l'officier de service : Egalité d'âme.

Arjuna, chef de guerre, contemple les deux armées qui vont s'affronter. Déjà commencent les jets de pierres. Ce sont des frères qui vont s'égorger! Dieu, devrai-je participer à cela! Et Krishna, qui a conduit son char sur le no man's land, lui donne la leçon suprême : agis, puisque tu ne peux faire autrement, mais ne t'attache pas à l'action, et que l'action ne s'attache pas à toi.

*
* *

Certainement, il y a la politique, il y a la société. Mais, ou bien je ne suis qu'un moment du projet de

l'histoire, et je n'existe que par mes engagements.
Ou bien ma part la plus profonde n'est pas dans l'histoire, et si je me résous moi-même, les trois quarts
des problèmes du monde seront résolus. Au quart
qui reste, et qui tarabuste, je donnerai ce qu'il faut.
Mais à distance et sans passion. Et prenant parti, je
douterai d'avoir raison. Et dans l'action, je douterai
des fruits de l'action. Et s'il arrive que je mette dans
tout cela de la passion (on n'est pas de bois), il y
aura encore une part de moi pour regarder de loin
cette passion.

« Dieu, s'il arrive que je doive, pour le bien, me
livrer à des œuvres extérieures, que ce soit en manière
de prêt accidentel, et que, les ayant accomplies du
mieux possible, mon attrait essentiel me rejette vers
vous au plus intime de l'être [1]. »

Une nuit, en Saxe, voici sept siècles, une femme
écrivait cela. Je copie ses lignes aujourd'hui, 29 août
1973. Des ouvriers horlogers veulent gérer leur usine
eux-mêmes. Un manœuvre algérien, ayant assassiné
un chauffeur d'autobus, à Marseille, antiracistes de
gauche et xénophobes de droite, s'agitent dans les
rues. On me rapporte, on me commente, ces actualités dix fois dans le jour : radio, télévision, journaux.
On les rend solennelles. Elles impliquent de grandes
questions. On m'oblige à faire l'équilibriste dans le
cirque des dernières vingt-quatre heures. Toute ma

---

1. Sainte Gertrude, *le Mémorial spirituel, 1289,* Plon,
Paris.

condition est sur le fil de l'actuel. Balancier à gauche, balancier à droite. Le cirque s'éteint. Allons dormir. Demain, même exercice. Ces questions me concernent, il est vrai. Cependant, me concernent-elles tout entier? L'écrivain russe Siniavski s'expatrie. Le train Moscou-Paris s'ébranle. Jamais plus. Partir? Il hausse les épaules : « Nous restons toujours à la même place par rapport au ciel. » Pour ce qui est de l'essentiel, ce 29 août 1973 est aussi bien le 29 août 1289 que le 29 août 2050.

Après une vie de militant révolutionnaire, un homme intelligent en arrive « à l'idée que l'homme doit prendre, par un effort sur soi, quelque distance avec les autres, les sentiments, la mécanique, les habitudes, peut-être même avec le destin [1] ». Son périple accompli, cet enfant du siècle se met à parler comme sainte Gertrude.

Bien entendu, je suis de mon temps où il y a des problèmes, comme de tout temps. J'y ai des devoirs, des solidarités, des engagements. Mais au cœur de tout cela, la philosophie éternelle.

Les sages antiques :

« Voici ce qu'il vous faut faire, Lucilius mon ami, désengagez-vous, rendez-vous à vous-même » (Sénèque).

Le Christ :

« Il faut que je sois dans les choses qui sont de mon père. »

1. André Thirion, *Révolutionnaires sans Révolution*, Laffont, 1971.

Saint Paul :

« User de ce monde comme si on n'en usait
pas. »

La Bhagavad-Gîta :

« Sois de ce monde comme le martin-pêcheur, qui
plonge et remonte sans avoir coagulé ses plumes. »

Ramakrishna :

« Que la barque soit sur l'eau, c'est bien. Mais
l'eau dans la barque, tu coules. »

Henry Miller m'écrivait en 1969 :

« ... Car, voyez-vous, il s'agit d'être du monde et
en même temps détaché du monde. [...] Et parfois
je me demande si, pour améliorer le monde et les
hommes, nous n'avons pas plus besoin d'esprits réellement éveillés que de combattants. [...] Et plus je
vis, et plus j'en viens à penser que la réflexion sur
les affaires du monde doit être, d'abord, une réflexion
sur ce que nous sommes, et une transformation de ce
que nous sommes dans notre corps, notre esprit et
notre âme. »

★
★ ★

Quoi! Le mal dans le monde peut-il vous laisser un
instant en repos! Quoi, ne pas se sentir toujours et
totalement concerné!

D'abord, ne pas exagérer le mal. Considérer les
biens en balance. Et puis, justement, ne pas consentir
à être tout entier impliqué. Sans doute la société
compte-t-elle sur nous, sinon pour vaincre à jamais

le mal, du moins pour le réduire. On compte sur nous. Pas sur des ouistitis sociaux énervés.

La pensée courte croit tout régler, écarquillant les yeux et les roulant en tous sens. La pensée large examine calmement, et parfois ferme les yeux, cherchant en dedans. La pensée courte colle au présent. Que de malheurs, d'injustices, de contradictions! Elle enjoint de ne pas décoller une seconde. En réalité, elle interdit qu'on gagne une pensée plus étendue. Elle tient que des misères grandissantes exigent la mobilisation. Elle veut que des urgences tragiques fassent de l'actuel un absolu. Nous vivons présentement une tragédie, en effet : la domination de la pensée courte, pour qui rien n'existe dans l'homme que le contingent.

Distance par rapport au monde. Distance par rapport à ma personne dans le siècle. Refus de la pensée courte. Refus et mépris. La laisser dire que Sénèque, saint Paul ou la Bhagavad-Gîta, célébrant la distance, recommandent le quant-à-soi bourgeois. Et laisser des chrétiens, absents de leur chrétienté pour cause d'agitation commune, nous reprocher d'être sans amour d'autrui.

Nous n'aimons personne d'un amour droit, si nous ne sommes pas à nous-même. Aimer son prochain comme soi quand on est à soi. Ce n'est pas l'affaire du bon cœur primaire. Encore moins des tachycardies sociales et politiques. Aimez votre prochain comme vous-même : cette parole grave n'est pas une carte postale envoyée de Galilée à notre nature ordinaire.

*
* *

Je n'ai jamais vu mon père, jamais tenté de le voir. Ma mère se remaria, j'avais deux ans. Je fus élevé par mon beau-père. Pour moi, ce mot est plein. Le mot élevé aussi.

C'était un ouvrier, qui croyait au progrès, qui était socialiste, et qui était un saint. J'ai dédié à sa grande âme *le Matin des magiciens*. Si je parle de l'âme, ce n'est pas comme d'une décoration bourgeoise.

Avec des écouteurs aux oreilles, pour ne pas me déranger, il suivait à la radio des concerts classiques et des cours au Collège de France. Il prenait des notes sur son établi. Mes amis venaient discuter avec lui. Je lui lisais mes pages. Des heures qu'il fallait rattraper avant le lever du jour. Un métier mal payé. Et puis la hantise de rater les livraisons. Monsieur le comte, ou le président, qui attendent leur costume. Mais il aimait l'aube et coudre. Il se levait, mangeait du pain et du chocolat, buvait de l'eau, et pénétrait dans son travail comme dans son oratoire.

Je témoigne qu'il ne fut pas aliéné par son métier manuel. Il disait (je l'ai déjà rapporté) que la trahison des clercs commença du jour où ils imaginèrent les anges avec des ailes, car c'est avec les mains que l'on monte au ciel.

Il lui vint une grosse verrue sur la joue droite. Il résolut de l'effacer par l'esprit en trois semaines.

L'excroissance se résorba sans laisser trace. Il voulait me montrer que sa prière était réelle.

Les longues heures. Juste le bruit du fil qui traverse la toile rêche. Penché sous la lampe crue qui lui jaunissait les cheveux. Cousant et cousant, dans un profond silence intérieur. Et, vraiment, il rayonnait. Son établi fut un autel. Sur le tabouret de bois, en face de lui, j'ai reçu la lumière.

Il est mort dans mes bras. Je perdais mon axe. Son patron et Madame sont venus saluer le corps.

Le patron était un gnome gris. Madame, forte, un visage de gendarme, l'œil noir, une grande bouche de travers et serrée. Elle prononça le discours funèbre, qui fut bref : « Bouju, c'était un brave homme. Un brave homme, on ne peut pas dire le contraire. Mais il livrait son travail trop souvent en retard. »

Ces deux morts s'en furent, devoir accompli, et je restai avec mon éternel aux yeux clos.

Quand la patronne parla, ma première réaction fut politique. Aujourd'hui encore, je garde la brûlure de colère qui me prit, aux pieds de ce gisant humilié jusque sous le porche de son ultime repos. De tout mon cœur soulevé, solidaire du peuple.

Ma seconde réaction fut de regagner la région qu'habitait cette âme, où nulle humiliation ne peut atteindre. Patronne, qu'y a-t-il de commun entre vous et lui? Il ne fut pas votre ouvrier, mais l'ouvrier de lui-même et du divin en lui. Vous n'existez que par ouï-dire, et il a vécu. Tous les humains meurent, peu ont vécu. Voilà une autre justice.

Il fut un militant. Il lutta pour plus de liberté et de
dignité prolétariennes. Mais il fut aussi le militant
d'une liberté et d'une dignité qui ne sont pas dans le
social. Au-dessus d'une conscience de classe, une
conscience. Il a été vaincu dans sa condition ouvrière.
Il a été victorieux dans sa condition humaine.

Plein d'amour, haut dans son privé, se refusant à
faire un enfant pour être entier à moi, chaud et vertueux, il est mort six mois après ma mère, cassé par
le chagrin. Pourtant, ils n'étaient pas de même nature.
Elle l'aimait sans le comprendre. Elle vivait dans sa
lumière, comme les aveugles savent qu'il fait jour.
Intelligente, fine, sensible, mais la vie spirituelle lui
était étrangère et même hostile. « Quand tu parles
de tout ça, ça me fait une barre là », disait-elle en se
touchant du doigt la tempe. Et sa lèvre tremblait, à
cause de la peine d'être si loin d'une vie si proche.
Ils n'habitaient pas le même monde, et furent insé-
parables.

Ma mère mourut d'un cancer du foie. A la fin,
c'était la folie. Attachée sur son lit bordé de planches,
toute maigre et presque plus de cheveux. Elle était
heureuse : elle se croyait riche. Elle offrait du dessert
à toute la salle d'hôpital. Chez nous, on confection-
nait des grandes tartes, qu'on lui apportait. Elle faisait distribuer. Elle allait acheter une auto, une maison à la campagne, elle commandait des meubles. Elle
avait beaucoup aimé les choses terrestres. Mais vivre
avec un pur esprit! Les biens qu'elle n'avait eus, l'ago-
nie les lui donnait. Elle est morte souriante. C'était

l'été. On avait ouvert la fenêtre. En face, dans une maison, une petite fille récitait *le Loup et l'Agneau*.

Ma mère terrestre alla en terre, dans le caveau des siens. Mon père d'esprit se fit incinérer; ses cendres sont maintenant dispersées; leurs atomes flottent dans l'air. Et tous deux reposent en moi.

Ainsi ai-je vécu, moi-même double, entre ces deux êtres d'essences dissemblables, qui s'aimaient et m'aimaient d'un cœur unique.

Je suis de ce monde, comme ma mère. Je ne suis pas de ce monde, fils d'un saint. Quand ma mère disait : « ça me fait une barre là », mon père lui baisait la tempe. Toute ma vie est dans ce baiser qu'il posait sur la tempe de ma mère, lui qui était au-delà de la barre, au large.

*
* *

Le Japon est un pays sans religion, non sans piété. A Kyoto, une usine d'électronique. Des ouvriers sur une chaîne de montage. Patriotes : que leur île soit une grande puissance. Mais aussi, héritiers d'une chevalerie : travaillant à la maîtrise d'eux-mêmes en vissant des transistors. Hommes doubles : appliqués et ailleurs. Faisant ce qu'ils ont à faire, et tout occupés d'autre chose : cultiver la faculté d'être au-delà. A la chaîne et détachés. Producteurs, et non outils de production. Portant une civilisation intérieure qui leur donne prise sur la civilisation des mécaniques.

Le travail comme source de biens matériels. Mais aussi comme sagesse et spiritualité. Pour employer un mot que, chez nous, personne ne comprendra aujourd'hui, fût-il chrétien : le travail comme voie du salut personnel.

Quand nous disons que la dignité de l'homme est dans l'intérêt de sa tâche, dans son degré de participation à l'entreprise, dans son salaire, dans le fait qu'il travaille pour la collectivité plutôt que pour le capital, nous disons peut-être quelque chose à propos des outils de production, mais rien sur la dignité intime. Ces problèmes comptent, je ne le nie pas. Mais la dignité est ailleurs. En la réduisant au travail, nous avouons la platitude de notre vision de l'homme. Il n'y a aucune différence de nature entre le travailleur du socialisme et le travailleur du capitalisme. Il y en a une entre ceux-ci et mon père ou ces ouvriers japonais. Elle est dans la qualité de l'être; dans la civilisation intérieure.

Quand nous disons que le travail manuel, et répétitif, est le plus aliénant qui soit, de quelle liberté parlons-nous? On proposa un jour à mon père une occupation « plus digne de lui, où son intelligence pourrait s'employer ». Moins d'heures et plus de sous. Il essaya, s'enfuit, revint à l'aiguille.

— Tu ne veux donc pas monter? disait ma mère.

— Ça m'abaisse trop, répondait-il.

La liberté qu'on lui offrait était pour lui l'entrave d'une plus grande liberté.

Le psychologue Karlfried von Durkheim visite un temple, à Tokyo, où l'on médite en répétant : Namu Amida Butsu, Adoré soit Budda Amida. Il y rencontre des gens d'une usine qu'il vient de parcourir. A l'un d'eux, il pose cette question :

— Quel rapport avec votre travail mécanisé?

« Il tint longtemps les yeux clos, raconte Durkheim, puis me regarda, interrogatif, comme s'il hésitait à livrer un secret à l'étranger :

« — C'est exactement la même chose », dit-il.

Quand nous parlons de « civilisation du travail », nous exprimons la déchéance, en nous, de l'idée de civilisation. L'Antiquité a nié que le travail fût une fin en soi. L'Orient le nie. La chrétienté le niait aussi, en son temps fort. Nous parlons des « travailleurs », comme si le mot suffisait à décrire des hommes. Le travail comme unique mesure de la réalité humaine : la conception la plus avilissante qui soit. « Notre conception essentielle, disait jadis un chef socialiste, c'est qu'il n'y a rien hors du travail, que le travail doit être tout. » Abominable. (On pense d'ailleurs de même chez les libéraux.)

La fin de l'homme n'est pas le travail. C'est acquérir la faculté d'être cause de soi. C'est-à-dire la liberté spirituelle.

Il y a une hiérarchie grossière à partir du travail et de la responsabilité sociale. Mais la vraie hiérarchie échappe à ce prosaïsme et se fonde sur cet impalpable : le plus ou moins de transparence intérieure. Si nous y sommes sensibles, nous commençons de

savoir ce qu'est l'injustice du monde, parce que l'aristocratie réelle nous est dévoilée.

Je n'écris pas cela pour justifier les injustices. Tout
homme, même si son travail est au bas de l'échelle
visible, et même s'il choisit de ne rien faire (pourquoi
pas?) devrait avoir droit, dans le monde développé,
à un salaire garanti qui lui assure le niveau de vie
moyen. C'est un projet, pour la grande société post-
industrielle qui vient.

Dans une époque bien plus injuste que la nôtre,
mon père a été un militant. Mais le grand honneur
de mon père fut au-delà de l'ouvrier et du militant.
Il fut de rendre manifeste, à l'établi, une substance
humaine à l'insertion de la vie divine. Et la grandeur
de ces ouvriers japonais est de nous montrer, au
milieu des machines, qu'il n'est nulle place où le
Bouddha ne puisse librement sourire.

Quand nous disons que la modernité empêche la
liberté d'esprit, nous confessons que nous parlons de
l'esprit par vague souvenir. La modernité : des
choses. Et les choses ne sont que les choses. Dans une
société technicienne, je peux être à moi-même et
faire oraison.

Un poète soviétique a écrit : « Nous sommes capables de voyager dans le ciel. D'où vient que nous
soyons dans la boue? » Il ne parlait pas seulement
pour l'U.R.S.S., mais pour nous tous. Nous ne
sommes pas dans la boue à cause de ce monde matériel, qui est un produit de notre intelligence, qui nous
apporte des pouvoirs, qui nous envoie dans le cos-

mos. Nous sommes dans la boue à cause des idées
basses que nous nous sommes faites sur notre propre
nature. Nous y sommes parce que nous avons des
idées nuisibles à la civilisation intérieure.

Le mal des esprits ne vient pas des machines.
L'intelligence appliquée et le savoir ne sont pas cou-
pables. C'est l'idéologie matérialiste qui est coupable.
Le mal ne vient pas du savoir qui réalise, mais du
discours qui pervertit. Au Moyen Age, les alchimistes
(le savoir qui réalise) et les maçons (l'intelligence
appliquée) élevaient les cathédrales, quand la scolastique (le discours qui pervertit) abaissait les esprits.
La science lançait des flèches vers le ciel. L'idéologie creusait des cachots.

J'approuve les succès de la science et de la technique. Je hais la pensée réductrice, déterministe, matérialiste, qui a envahi nos esprits et nos cœurs, et qui
gouverne nos conduites, jusque dans l'intimité. Le
progrès et cette antiphilosophie ne sont pas liés. On
peut maîtriser l'atome et aller sur Mars, n'importe
l'idéologie. Les nazis firent de la haute technique,
avec une conception démente de la nature humaine.
Le matérialisme aussi est une démence. Il se recommande de la science. Il n'est qu'une scolastique pla-
quée sur les réussites de la raison. Il usurpe les pres-
tiges de la technique. Il se dit scientifique, comme le
loup se disait grand-mère.

Je crois au progrès *et* à la philosophie éternelle. Je
me bats contre un climat culturel. Je suis un résis-
tant. Le maquis est ma demeure. Je lutte. Ma vérité

ne triomphe jamais tout à fait, mais ses adversaires finissent toujours par mourir. Veillons, dans la nuit qu'ils répandent. Dieu est toujours là, puisque j'existe.

V

Monseigneur, Mesdames, Messieurs,

Un été, je campais dans les Causses, lieu désert. Je me blessai gravement au pied. J'étais avec ma femme et ma fille âgée de quatre ans. Dans la nuit, la fièvre me prit. Puis ma fille se mit à sangloter. On alluma la la torche électrique. Elle pleurait en dormant. En dormant, elle ouvrit les yeux et dit : « J'ai mal au pied de papa. » Puis elle se rencogna sous son duvet, et longtemps, dans le rayon de la torche, nous vîmes couler des larmes de ses paupières closes.

Je n'appartiens pas à vos confessions. Mais du fond des ténèbres extérieures, Monseigneur, Mesdames, Messieurs, j'ai mal à vos églises.

Vous êtes ici, catholiques et protestants, qu'une communauté d'inquiétude rassemble. Des « remises en cause » ébranlent vos autels. Vous en souffrez. Il paraît que votre inquiétude prouve que vous êtes à droite. Ce que j'ai à dire n'a ni droite ni gauche. Si je heurte, songez, je vous prie, que je n'ai aucune leçon à donner, à qui que ce soit. Songez aussi que

vous n'attendez de moi qu'un témoignage personnel,
et du dehors.

Le discours des chrétiens est abondant aujourd'hui.
Il occupe le siècle, plus puissamment que durant
ma jeunesse. Je vous suis reconnaissant d'inviter quelqu'un à faire un discours aux chrétiens.

Je voudrais exprimer mes doutes. J'écoute des
prêches, je lis des livres, des articles, j'entends des
propos courants. Généralement, tout cela me fait
douter, chez beaucoup de chrétiens :
— de leur amour de la nature
— de leur amour de l'homme
— de leur amour de Dieu.
Je parlerai d'abord de la nature.

*
* *

J'ai vu, en Suisse, un curé dans un arbre. L'arbre
était un chêne majestueux. Le curé, un petit mince,
frémissait sur une branche. Il ameutait, en bas, des
chevelus. On allait abattre le chêne pour construire
des logements. Les chevelus conspuaient la société
et le béton.

Non loin, un bulldozer arrêté. Le conducteur cas-
qué (le centurion) fumait une cigarette en attendant
que l'inspiré descende et que jeunesse se passe. Le
curé foudroyait, d'un regard messianique, les mâ-
choires de la machine. Il voyait le Léviathan. Les
photographes photographiaient. Les journalistes no-
taient, pour composer des papiers pleins d'émotion
écologique et christique.

Comme il en avait assez entendu, le conducteur mit les gaz.

Il fallait bien qu'il gagne sa croûte, car il ne se nourrissait pas de glands.

Cette scène eût mérité l'immortalité en fresque édifiante. J'y songeais lors de la conférence des Nations Unies sur l'Environnement, à Stockholm en juin 1972. Mille délégués de cent douze nations. Mais, aux abords, trente mille militants de la verdure. Ce fut la grande kermesse du néo-rousseauisme. Des chrétiens menaient le bal.

Vingt mille motos et autos de naturistes ajoutaient des vapeurs à l'air chargé de bons sentiments.

On entendait des homélies contre les cheminées :

« A bas les nations, vive la nature! Mon drapeau est l'arc-en-ciel! » criait un jeune homme qui s'était fait la tête du Voile de Véronique. Moment d'élévation.

Cependant, les spécialistes, en leur salle de conférence, considéraient :

— Que les nuisances ne sont réductibles que par un surcroît d'expansion;

— Que le principal des pollutions vient des commodités quotidiennes : chauffage, transports, et que personne n'est disposé à y renoncer;

— Que les démunis d'Occident et, à plus forte raison, les pauvres du monde en retard, réclament, non de l'antipollution, mais de l'antirationnement.

Ces conclusions ne franchissaient pas les murs. Les trente mille environneurs de la conférence étaient venus pour faire honte à l'Amérique, en particulier, et au progrès en général. Ils ne voulaient pas qu'on touche à la nature. Ils réclamaient une révolution de la société et des cœurs, qui nous rendrait le paradis terrestre.

Je ne nie pas les dangers, ou plutôt les inconvénients de l'expansion. La surveillance est nécessaire. Elle est commencée depuis longtemps. Elle s'intensifie : bien. Mais je crois que la pire pollution est celle des esprits qui cessent d'aimer le progrès. Pardonnez-moi de le rappeler : il fallut briser le barrage clérical pour faire passer le progrès. Je soupçonne vos églises d'user du bon cœur rousseauiste et des nostalgies villageoises pour mener une croisade contre ce qui fut la foi de nos instituteurs : le bonheur des hommes par les succès de l'intelligence sur la nature.

A propos de Stockholm, notamment, tous les journalistes chrétiens, de droite ou de gauche, ont entonné des hymnes aux « équilibres naturels ». Cela me paraît suspect. Expliquons-nous.

Le savant constate que la nature a des facultés d'autorégulation. Il n'en dit pas plus. On ajoute que l'homme ne doit pas intervenir, ou qu'il en sera puni. Vous propagez cette idée. Elle vous paraît conforme à un idéal de pureté et d'amour de la création. Pardonnez-moi encore : c'est une vieille idée fausse. Jadis, vous avez allumé beaucoup de bûchers en son nom. Elle ressuscite. On la présente au goût du jour, sous l'étiquette pimpante du sentiment écologique.

Je ne la partage pas. Je partage l'optimisme des ingénieurs planétaires soviétiques. Je trouve ces ingénieurs plus bibliques que le curé dans l'arbre. « Avez-vous oublié que vous étiez des dieux? » demande la Bible.

Il est vrai que nombre de chrétiens paraissent avoir oublié que l'homme est à l'image de Dieu, et que Dieu voulut l'homme pour roi de la création. Ils ont laïcisé tout cela. Il leur reste une aiguille de tradition, mais perdue dans une botte de foin scientiste. Il ne faudrait pas les pousser beaucoup, pour leur faire dire, en bons déterministes, que l'homme est un des mammifères produits par le hasard des mutations et les nécessités de la sélection. Comment ce mammifère, émanation du hasard et de la nécessité, au même titre que la baleine ou le grizzli, aurait-il le droit, en effet, de modifier l'environnement?

De sorte que la théologie du Dieu jaloux et l'abaissement des idées sur la nature de l'homme, se conjuguent curieusement chez mon curé suisse, pour lui faire jouer les druides dans les chênes quand on veut construire des maisons.

L'idée des équilibres naturels intouchables (quelque chose de définitif dans les rapports du vivant) gouverne le sentiment écologique. (Non l'écologie elle-même, qui est une science, pas un sentiment.) Cette idée plaît doublement aux chrétiens.

Parce qu'elle évoque la perfection de l'œuvre divine après les six jours

Parce qu'elle coïncide avec l'idéologie moderne do-

minante. Récupérer l'idéologie dominante est une
occupation d'église. « Il fallait bien que je les suive,
j'étais leur chef » (Ledru-Rollin en 1848). Cette idéologie implique que, dans le processus évolutif, tout
est dépendance du milieu. Les espèces répondent aux
injonctions du milieu ou bien disparaissent. Cela
fonde le déterminisme qui, de proche en proche,
investit les conceptions de l'homme et de la société.
L'homme est une dépendance des choses, des structures, du groupe. La société se conforme à des lois
et à un sens de l'histoire, ou bien est condamnée.
Obéissance ou punition. Le marxisme est un darwi-
nisme socialisé. Mais il y a préséance : c'est Jésus
qui, le premier, révéla les principes d'adaptation de
l'espèce humaine. Ces principes sont socialistes. Que
l'homme à genoux respecte donc :
  — les équilibres naturels voulus par le Père,
  — les conduites humaines voulues par le Fils.
    Vous semez dans la Révélation des grains de fable
moderniste. Craignez la vitalité des mauvaises herbes.
Vous avez tort de mêler à vos fictions véritables des
vérités fausses. Il est faux, par exemple, que tout
s'explique, dans la création, par la simple réponse
du vivant au milieu qui l'environne.
    Le vivant agit sur le milieu, avant que de réagir au
milieu. Chez l'embryon, les nerfs moteurs sont actifs
avant les nerfs sensoriels. Le naissant agit avant de
recevoir. « Au commencement était l'Action », découvre Faust. Dès qu'il apparaît, l'animal attaque le
milieu. Il le mange, il le boit, il le fouille, il bâtit

en lui, il lui pose des questions en l'explorant. La zoo-
psychologie actuelle reconnaît que le besoin d'explorer (comme de jouer) est un instinct aussi fondamental que le sexe ou la faim. En 1900, Balwin et Morgan avaient décelé que la pulsion exploratrice rend
compte de l'évolution, au moins autant que la sélection naturelle. C'était supposer une volonté et une
curiosité incluses et agissantes dans le vivant. On
s'empressa d'oublier cela. Déterminisme d'abord. Cependant, la curiosité et le besoin d'aventure, sont
dans la souris, le chien, la mésange, l'homme. Ils
engendrent des transformations du milieu. Ils peuvent
aussi engendrer des transformations de l'espèce elle-
même. Le progrès de l'évolution, ce n'est pas seulement la pression sélective du milieu, c'est aussi
l'initiative provoquée par la pulsion exploratrice.
(« Pourquoi conquérir l'Everest? demandait-on à
Mallory — parce qu'il est là », répondait-il.) L'animal explorateur s'invente de nouveaux modes de vie,
de nouvelles sources de nourriture. Il questionne son
environnement, il le bouscule, il se l'approprie, il le
plie à son aventurisme. Ce faisant, il se transforme
lui-même en coursier, en grimpeur, en fouisseur, en
nageur, en volant. La nouvelle école anglo-saxonne
accorde à l'initiative une part de l'évolution. Elle
considère que, dans une certaine mesure, le progrès
des espèces est réalisé par les plus aventureux de
leurs représentants. Pour une part, l'instinct d'exploration enjoint aux créatures : faites votre évolution
vous-mêmes.

Hardy, cité par Koestler, raconte que des mésanges bleues, en Angleterre, s'avisèrent que les bouteilles, posées le matin sur le seuil des maisons, contiennent quelque chose de blanc. Elles apprirent, non seulement, à décapsuler les bouteilles de lait, mais à découper le carton d'emballage. Et, bientôt, toutes les mésanges d'Europe firent de même.

Comme les mésanges ont appris à faire de la mésange avec du lait en boîte, nous-mêmes, conduits par la pulsion exploratrice que Dieu a mise dans ses créatures, nous faisons de l'homme avec toute la nature. Qu'est-ce que votre distinction entre l'homme et la nature? La nature est une puissance qui attend que nous en fassions de l'homme.

En conquérant la nature, nous devenons coursiers (de plus en plus vite), oiseaux (de plus en plus haut), poissons (de plus en plus profond), et nous nous dotons de sens supplémentaires. C'est l'effet de notre intelligence et de notre volonté, excitées par le besoin d'exploration. Nous ne transgressons pas quelque loi de fixité. Dieu n'a pas interdit le lait pasteurisé aux mésanges. Il n'a pas non plus interdit à l'homme le pétrole ou l'énergie nucléaire. Le milieu a cessé de nous agir? Rien ne nous interdit, tout nous presse au contraire, d'agir sur lui.

Les homélies au nom des équilibres naturels me font toujours songer à une riche veuve américaine.

Elle voulut, par testament, que sa fortune fût employée à la construction d'une église. Elle précisa : pas de vitraux, il y a des colorants, de la chimie. Elle désirait que, dans son église, le jour pénétrât par du verre, tout simplement. « Du verre pur, écrivait-elle. Comme Dieu l'a fait. »

★
★ ★

Je suis content d'entendre rire ceux qui se rappellent que le verre est un produit de l'industrie.

Tout de même, la vieille dame exprime un sentiment chrétien. Que la Création fut conçue parfaite. Et que Dieu aime toute la nature. Je ne partage pas ce sentiment.

Dieu fit des erreurs et des dégâts énormes. Les nôtres ne sont rien, en comparaison. Vous pleurez sur le plancton, sur les flamants roses, sur les mouettes emmazoutées, sur la mort des écrevisses de Seine. Dieu, dans son immense bonté, engloutit les forêts, fit les déluges, les glaciations, secoua en tous sens la Terre. Dieu, dans sa charité infinie, a massacré d'un coup de pouce le premier roi de sa Création : le dinosaure. Vous qui pleurez la raréfaction des tigres, des cigognes, des goujons, avez-vous, dans votre admirable et insomniaque pitié, élevé un monument au diplodocus inconnu, qui mourut pour nous? Cette négligence est significative. Il me semble que vous feriez mieux de penser comme moi : S'il y a Dieu, Dieu trouve bon que la Nature soit pétrie pour faire de l'homme.

*
* *

Il est dans notre nature d'être incités à l'acte.
Nous sommes naturels en poursuivant par nous-
mêmes l'évolution. Celle-ci ne s'arrête à nous que
pour être continuée par nous. Nous sommes dans
notre nature, quand nous transformons la nature en
homme. Balwin et Morgan révélaient qu'une part des
progrès du vivant, vient du refus de l'adaptation pas-
sive. En nous, le refus d'adaptation au milieu, constitue la forme élevée de l'évolution. En quelque sorte,
son deuxième souffle.

Et enfin, notre milieu n'est pas clos, contrairement
à ce qu'une théologie-couvercle enseigna jadis. Quand
nous aurons épuisé ici-bas des énergies, nous capte-
rons la force solaire et d'autres sources dans le cosmos. Quand notre esprit, croyant buter sur ses limites, sera tenté de déclarer forfait, il établira le
contact avec des Intelligences du dehors, qui le re-
lanceront.

Mais quoi! Un faux sentiment de la nature et des
rapports de l'homme avec la nature, a relayé chez
beaucoup de chrétiens, une noble vision de l'homme
et de la création. De l'infinité de l'homme et de
Dieu, ils descendent au sentiment d'une nature finie,
jalouse de sa finitude. Ah! pardonnez à ma viva-
cité : il m'arrive de penser que les églises, vouées à la
gloire de l'homme, en professant ce frileux amour de
la nature, manquent d'amour-propre.

Pardonnez-moi aussi, Monseigneur, une trivialité.

Je discute beaucoup avec les humbles. En eux sont des fontaines vives. J'allai aux toilettes d'un grand restaurant et refis le monde avec Madame Pipi. C'était une grosse dame à chignon blanc. Elle dévida les niaiseries communes : les saisons qui se détraquent; on vit comme des fous; tout va mal; on se demande jusqu'où ça ira, etc.

— Jusqu'à la fin du monde?

Alors, Monseigneur, le regard de Madame Pipi devint beau. Je découvris qu'elle avait des grands yeux noisette. Et elle me répondit, d'une voix plus grave qu'elle-même :

« La fin du monde? Ah non, Monsieur, non. Ce n'est pas pour tout de suite à mon avis. Il reste encore trop de choses à découvrir. *L'Œuvre n'est pas finie.* »

Je voudrais une prière pour la dame du sous-sol.

★
★ ★

Monseigneur, Mesdames, Messieurs, la crise des Eglises chrétiennes n'intéresse pas seulement les prêtres et leurs fidèles, mais tous les hommes attachés à quelque philosophie des valeurs permanentes.

Je lis parfois que de grandes nouveautés objectives justifient cette crise. Je n'en crois rien. Il y a de mauvaises années pour la vigne. Nous ne sommes pas dans de bonnes années pour la foi. Vous en avez connu d'autres.

A la veille de la Révolution française, des prêtres, la langue collée au palais par la peur et la mode, n'articulaient plus que des demi-mots, n'ayant plus qu'une demi-foi. Certains, nous rapporte Chateaubriand, n'osaient plus en chaire prononcer le nom de Jésus-Christ. Ils parlaient du « législateur des chrétiens ».

On n'est pas à la veille d'une révolution. Mais on y joue. En jouant, on pousse son tempérament. On renchérit sur ces prêtres qui avaient, du moins, l'excuse de se sentir le cou fragile.

Je vois maintenant que, pour des abbés, les Evangiles sont des notes politiques. Je lis que « chacun peut désormais, Evangiles en main, construire sa propre maquette de la société ». Les camarades apôtres ont donc seulement laissé un jeu pédagogique pour apprendre le socialisme.

Un congrès de prêtres avancés conclut que l'homme ne se définit par rien d'autre que son travail, sa classe sociale, ses choix politiques. Je me demandai, en conséquence, ce qui autorisait les congressistes à se définir comme chrétiens et prêtres. La question ne fut pas posée. Mais, quelques mois plus tard, un curé de Belleville me fournit la réponse. La réponse est que la question ne se pose pas, la religion étant accessoire. Le curé déclara :

« L'Eglise a trahi le Christ, mais elle m'a livré son message. Le culte n'est pas l'essentiel. Le fossé ne passe pas entre le croyant et l'incroyant, mais entre ceux qui ont choisi la lutte de classes et les autres. »

Que reste-t-il du religieux chez ce militant? Deux déchets cléricaux. La prétention à gouverner les masses, hier sur les marches du trône, aujourd'hui aux sorties d'usines. Et la théologie du bien et mal devenue une théologie des bonnes œuvres sociales : Dieu est contre la plus-value et le Diable pour la libre entreprise.

Je sais qu'il s'agit tout de même de vertus : la charité, le besoin de justice. Mais les vertus laïcisées ressemblent diablement (c'est le mot) à de la démagogie. Je sais aussi que ce curé de Belleville est un cas extrême. Je sais encore qu'il faut compter avec la bêtise, notion qui se perd. Mais enfin, les Eglises, me dit-on, veulent être de ce monde. « En pleine pâte pour le changer », lisais-je hier. Premièrement, on n'en demande pas tant : essayer de l'améliorer suffit. Deuxièmement, l'humanité retombant en enfance à chaque génération, que les Eglises continuent d'expliquer la parole de leur Initiateur : « Mon royaume n'est pas de ce monde. »

Je vois surtout l'Eglise s'efforcer de réoccuper tout le temporel. Au siècle dernier, ayant perdu depuis longtemps dans le monde le sens du mystère initiatique, elle n'avait plus guère pour prêtres que des hommes de puissance, non de connaissance. L'Eglise soutenait la richesse. C'était un parti. Le pouvoir s'étant déplacé, elle se veut parti des masses. Elle change son mode et son langage de recrutement. Mais, comme hier, elle s'adresse aux passions primaires, plutôt qu'aux réalités intérieures. Elle fait monter la fièvre sociale. On serait en droit d'attendre des interprètes de Dieu, moins de chaleur et plus de lumière.

La Fédération protestante de France, l'an passé, s'étant penchée sur la question, déclara notre société « inacceptable ». Au regard de l'homme spirituel qui observe du dehors, ce qui est inacceptable, c'est de laisser entendre qu'un autre ordre politique et économique comblerait l'idéal évangélique. Je lus dans un hebdomadaire : « En revenant aux sources du christianisme, les Eglises, fatalement, retrouvent leur fonction critique à l'égard du pouvoir en place. » Les Eglises ont, en effet, une fonction critique. Mais c'est de fournir des exemples, c'est-à-dire des saints.

Quant aux sources du christianisme, elles n'enseignent pas que tel monde avilit, mais que *le* monde avilit.

Les sources disent que le royaume de Dieu est au-dedans de nous. Le reste est du séculier. Dans le séculier, une église concurrente, le marxisme, suscite un besoin de salut politico-idéologique. Les Eglises répondent à un besoin de salut individuel. Qu'elles constatent que certaines formes sociales nuisent à l'homme; que la charité les incite à y remédier : il leur reste à dire nettement de quel homme il s'agit. Le sauveur politico-idéologique ne peut rien contre mes chagrins privés, mes souffrances intimes et ma mort. Que les Eglises, au-delà de « leur fonction critique à l'égard du pouvoir en place », me parlent de leur fonction salvatrice à l'égard de l'homme qui est en place dans moi, je continuerai de les tenir pour des Eglises.

Mais quand la charité devient de l'agitation sociale,

quand la foi devient de la conscience révolutionnaire, quand l'espérance devient du messianisme révolutionnaire, on a tordu le cou aux vertus chrétiennes pour qu'elles regardent à gauche.

Que ce curé de Belleville veuille plus de justice
sociale : oui. Il croit que le Manifeste du parti communiste (1848) est la solution. Moi, pas. Mais ma
répulsion ne vient pas de là. Je ne lui reproche pas
d'avoir une opinion politique. Je trouve horrible qu'il
n'aie plus rien d'autre. Epictète, déjà, plaignait « les
malheureux qui n'ont rien au-dessus de leur opinion ».

Je regarde avec épouvante, dans cet esprit, les
ravages que fait la foi qui a perdu son âme. Devant ce
chrétien dépossédé de sa plus haute part, je suis
comme le juge de Chesterton qui, au lieu de condamner, laisse tomber les bras et le code, et dit ce qui
s'impose : « Achetez une âme neuve! Celle que vous
avez ne suffirait pas à un chien malade. Achetez une
âme neuve! »

*
* *

Ou mon oreille me trompe, ou, sur les lèvres des
chrétiens, plus Dieu se tait, plus Jésus cause. Il me
semble, présentement, que le mutisme de Dieu étant
quasi complet, Jésus lâche un torrent de discours et
de chansons.

J'assiste à des cérémonies liturgiques : des baptêmes, des mariages, des enterrements. Souvent, je suis pénétré par le sacré. Si profondément, parfois, qu'une émotion au-dessus des choses humaines, me porte aux larmes : cette mystérieuse tristesse, qui a le parfum de la grâce, et qui vient des choses essentielles...

Mais je dois vous faire un aveu. N'y voyez pas de provocation. J'évite de porter les yeux sur le Christ. Je fuis ses images. Ce Christ-homme me gêne. Il me comprime. Il m'oppresse. Il me rétrécit. C'est peu dire que vous confier que je ne brûle pas d'amour pour lui.

J'ai frémi, lisant ceci sous la plume d'un ami, tant c'était moi :

« Je n'ai jamais pu participer au culte de Marie, ni même, au fond, à celui du Christ. La Mère et le Fils de Dieu, oui. Les personnes de Marie et Jésus, non. Cette substitution idolâtrique de l'image à l'idée, que la tradition dénonça toujours comme péché majeur contre l'esprit, me touche à la façon vive et irrémédiable de ces fautes de goût qu'on sait sans remèdes, parce qu'on ne peut même pas les expliquer à leurs auteurs [1]. »

L'idée alchimique d'un principe divin dans la matière vierge (La Mère de Dieu) et l'idée antique d'une présence divine dans l'homme (Le Fils de Dieu), oui. La divine personne de Marie, la divine personne de Jésus, non.

Un remugle de larmes, de sang, de tombeau en-

---

1. Raymond Abellio.

trouvert, sur fond de prodiges indécis; l'idolâtrie charnelle; une piété sentimentale, — tout cela fait, pour moi, une zone spongieuse qui me sépare de l'Esprit. Et pourtant l'Occident me serait inhabitable sans les clochers, sans vos mystiques, vos méditatifs, vos saints, vos vertueux. Pourtant, je me voudrais une deuxième vie cloîtrée.

Je vous montre mon cœur nu, insuffisant, contradictoire. Ne me détestez pas à cause de mes aveux. Je ne dis que ce que je suis, et ne me donne pas pour exemple, mais pour témoin. Acceptons-nous dans le Père, que je prie comme vous chaque jour. « ... Et pardonnez-nous nos offenses, comme nous-mêmes pardonnons à ceux qui nous ont offensés. »

Puis-je, d'ailleurs, faire remarquer que le Pater ne lie pas à Jésus, et qu'on le trouve, quasi mot pour mot dans le Talmud, partie en hébreu : prière du matin, et partie en araméen : le Kaddish, ou sanctification du Nom?

Je ne crois pas à la divinité de Jésus. Je ne crois pas à la réalité de sa naissance d'une vierge et du Saint-Esprit. Je ne crois pas à la réalité matérielle de l'eucharistie. Je ne crois pas à la résurrection effective. Je ne crois pas qu'un Dieu fait homme, ait eu besoin de mourir sur la croix, « abandonné », ni de ressusciter dans sa chair pour recouvrer l'éternité. Je vais à Dieu sans Jésus. Mon arithmétique intérieure est : je pose un et je retiens Dieu. Je ne crois pas même que le Sermon sur la montagne apporte un enseignement nouveau et supérieur, par rapport à l'inspiration de la Torah, des Psaumes et des Prophètes, les contrastes n'étant qu'apparents et n'exprimant qu'une interprétation extrémiste et personnelle, dans la ligne des Esséniens. Pour moi, l'essentiel du Sermon est : « Tu aimeras ton prochain comme toi-même », qui est dans la loi de Moïse (Lévitique, XIX, 18) et le « Toutes les choses que vous voulez que les hommes vous fassent, faites-le-leur aussi de même », qui est dans les propos d'Hillel l'Ancien, cinquante ans avant Jésus-Christ.

Cela dit, je ne suis pas non plus de religion juive. Je ne puis croire que le Créateur d'étoiles soit spécialement descendu dans notre région galactique pour rencontrer Abraham et traiter une alliance particulière avec cinq cents nomades dans le Sinaï.

Mais, si je ne crois pas au Christ, je crois en la sainteté d'un nommé Jésus. Et je crois aux symboles christiques. Je crois que ces symboles contiennent, en parts miraculeusement égales, des vérités humaines et métaphysiques. Je crois enfin à leurs exceptionnelles qualités de fertilisation de la vie spirituelle. Seulement, je n'ai jamais pu enfermer le concept métaphysique du Fils de Dieu dans une personne humaine divinisée.

Ne nous énervons pas sur ces débats dogmatiques. Le problème ne se pose plus ainsi. Du moins si j'en juge par le discours public de beaucoup de chrétiens. Il n'est plus guère question de la divinité de Jésus. Il est question d'un type socialement extra, qui fut redresseur de torts sous Pilate. La foi dans les mystères a disparu. Il ne reste qu'un nouvel illuminisme : révolution-révélation.

Je suis éloigné de vous. Cependant, parmi d'autres asiles de la vie spirituelle, l'Eglise des âmes, des sacrements et de la prière m'est chère, et ce qui l'avilit m'atteint. Je me demande comment a pu s'opérer une si rapide et complète dégradation.

Quand l'histoire des religions s'est faite science, le profane a dévoré le sacré. Au lieu de hausser l'exégèse symbolique, on s'est resserré sur la lettre. Ce qui a conduit à relativiser les récits évangéliques. Mais, comme Jésus diminuait, la nouvelle théologie (Karl Barth, par exemple) a voulu néanmoins qu'il occupât la première place. Elle a fondé une prédication qui ramène toute connaissance de Dieu à Jésus, mais dans un climat de démythologie. Quand Jésus se trouva à la fois dépouillé de sa divinisation et de sa symbolique, il ne resta plus grand-chose de l'idée de Dieu et du sentiment de transcendance. Un pasteur, malheureux dans son temple désacralisé, impute la responsabilité majeure aux protestants. Les protestants (pardon à ceux qui sont ici) me sont toujours apparus comme des catholiques déshydratés. Ils sont aujourd'hui à la pointe d'une exégèse qui ramène Jésus à l'homme historique et qui interprète les Evangiles en les actualisant dans notre époque (ce qui conduit, d'ailleurs, à interpréter aussi l'actualité, pour faire coïncider). Par ce double mouvement qui extériorise leur contenu, les livres saints ne nous livrent plus, pour jadis et aujourd'hui, que des paroles

de morale politique. Et l'on en arrive à cette nouveauté : un christianisme a-religieux. La chrétienté
« avancée » se recommande bien de la parole : « Qui
m'a vu, a vu le Père. » Mais, pour ce qui est du Père,
le cœur n'y est pas. Difficile, il est vrai, de voir le
Père à travers le camarade galiléen, un tiers Car-
touche, un tiers Lénine, un tiers Mao. On finit par ne
plus idolâtrer qu'un idéologue de la justice sociale, et
— pourquoi pas? — un prophète de l'athéisme révolutionnaire.

Vous avez connu d'autres hérésies, me direz-vous.
Du temps même de Jésus, les Zélotes ne regardaient
en lui qu'un remueur providentiel qui chasserait l'oc-
cupant pour rétablir le royaume juif indépendant.
Avaient-ils des yeux pour voir? Je ne sais pas. Mais
ils étaient « en pleine pâte », eux. Un néo-zélotisme,
après deux mille ans de symbolique christique si souvent admirable, est-ce le renouveau, ou la fin? Le
fond de la question est là.

Un singulier moine déclarait l'an passé : « Le
christianisme, pour ne pas rester rêve philosophique
ou poétique, doit devenir politique ».

Un jeune curé disait à Julien Green : « Dieu (il
voulait dire Jésus, Dieu n'étant plus qu'un mot pour
un autre) n'est pour moi qu'un personnage historique.
Mais quel personnage! Il a mis le feu! Jésus nous
a laissé autre chose qu'une morale, mieux qu'une
morale : une philosophie politique. »

De telles déclarations font le vide dans vos églises. Sous vos nefs désertées, je me dis que, de toutes les architectures publiques, l'architecture religieuse est la seule pour laquelle on a vu trop grand.

Ces déclarations font le vide pour trois raisons.

La première : S'il ne s'agissait que d'un rêve, toutes les prières de toutes les âmes, depuis vingt siècles, ne furent qu'un vain bavardage intime, et tant de sainteté ne fut que leurre.

La seconde : On a dû se tromper au Golgotha. Il y a eu erreur sur la personne. Le vrai réfractaire, c'était Barabas. Celui qui voulait que les sous circulent autrement, c'était Barabas. Mais faisons avec ce qu'on a. Donc, Jésus, qui n'était ni réellement, ni symboliquement fils de Dieu, était un idéologue. Il nous a laissé une philosophie politique. Seulement, c'est une philosophie politique qui a été sans effet pendant deux mille ans. Deux mille ans d'inefficacité, c'est tout de même beaucoup! Comment admirerais-je la philosophie politique du camarade Jésus, quand Marx et Lénine, avec la leur, n'ont mis que quelques années pour changer une partie du monde?

La troisième raison : Avez-vous remarqué, dans ces conditions, combien il devient facile d'être chrétien? Il suffit de lire les journaux et de prendre parti. Mais savez-vous ce que cherchent quantité d'hommes? Ils cherchent à être quelque chose qu'il est difficile d'être.

La religion n'est-elle qu'une sociologie en action? Pour moi, comme pour quantité d'hommes, elle est une lumière fixe au-dessus de toute société et de toute action. Elle n'est pas ce qui fait l'histoire, mais ce qui nous empêche de nous défaire dans l'histoire. Elle est ce par quoi l'âme vivante tient le monde à distance, et dans cette distance s'appartient.

Les humbles, naguère, firent la gloire d'un tableau : *l'Angélus*, de Millet. Je viens de lire : « La prière est à jeter aux poubelles de l'histoire; ce n'est qu'un alibi de l'individualisme » (libelle de chrétiens « engagés »). Il faut, pour écrire cela, une grande ignorance des profondeurs humaines. Les humbles avaient de l'innocence, mais connaissaient la profondeur. S'il y a un tribunal céleste, l'innocence sera pardonnée, pas l'igorance.

Cloches de l'Angélus. Oui, la religion est ce quotidien battement de bronze pour nous rappeler : possède-toi! Possède en toi ce qui est plus que toi, plus haut, plus pur. C'est la vérité de ton être. Elle a partie liée avec Dieu. Réunifie-toi dans la prière. Augmente-toi dans l'abandon au divin.

L'Eglise, en des temps dont je n'ai pas la nostalgie, tint lieu de tout, y compris de politique. Pour beaucoup, elle ne tient plus lieu de rien, sauf de politique. Ou plutôt, de sentiment politique vague. Un angélisme social dans un frisson contestataire. Un peu Rousseau, un peu Cabet. Un peu Tosltoï, un peu Trotsky. Mi-Potemkine, mi-48. Un néo-scoutisme.

On a dit méchamment d'une patrouille scoute : ce sont des enfants déguisés en idiots, conduits pas un idiot déguisé en enfant. Le psychodrame révolution s'est substitué au grand jeu. On met des signes de pistes rouges, pour conduire à gauche. Je vois des chrétiens déguisés en sans-culottes, conduits par des tacticiens politiques déguisés en chrétiens.

Enfin, quand les Evangiles ne sont plus interprétés que comme manuel politique, je m'étonne que, jamais, chez vous, ne s'élève quelque voix pour rappeler ceci : on ne saurait recourir à un livre saint, sans une lecture qui élève vers le sens intérieur caché. Ou bien, il ne faut plus parler de livre saint, et ne plus parler de religion. La tradition exige cette lecture spécifique. Une lecture-élévation. Une lecture anagogique, c'est-à-dire qui, du sens littéral, monte vers le sens mystique. Le clerc trahit, il pèche contre l'esprit, quand, dans un texte sacré, il prend les choses à la lettre et les mélange aux événements du siècle. Il tombe dans la superstition des évidences superficielles. Il est indigne. Il s'empare d'un dépôt qui ne lui a pas été confié.

Mais soyons réalistes. Comment parler de la voie anagogique à ce pasteur de banlieue qui proposait aux jeunes une soirée de catéchèse sous le titre : « Jésus et ses douze mecs » ? Et demandons-nous si les interprètes politiques du Nouveau Testament le lisent. Il se peut que le texte sacré soit pour eux sacré, en effet : qu'ils n'y touchent pas.

Tout cela annonce-t-il la révolution? Certainement pas. Cela indique que le puritanisme s'est déplacé. Il est passé du sexe au social. Il demeure également hypocrite et dénué de sens spirituel. Le pouvoir, l'argent, les machines offusquent. On ne peut supporter que les hommes soient les hommes et que la société ne soit pas l'Utopie. A l'ère victorienne, on mettait des jupettes aux chevaux et aux pieds des pianos.

Tissot, graveur du XIXe siècle, s'était spécialisé dans l'illustration de l'histoire sainte, pour l'édification des demoiselles. On voit maintenant un Jésus justicier, héros de bandes dessinées. Mais le mot de Degas s'applique toujours :

— Non, Monsieur Tissot, votre Christ n'est pas né à Bethléem, il est né à Epinal.

Il n'y a aucune morale sans racines dans le fond de l'être, sans conscience de soi autonome, et sans le sentiment d'une transcendance. Aucune morale qui ne se fonde sur ce qui contredit carrément les idéologies de masse : un guide intérieur souverain; le dépôt religieux, dans l'âme individuelle, du vrai et du bien. Le moralisme politico-social comme absolu : cette imposture. C'est avec cela que des Eglises défaillantes feignent de rendre parlantes des âmes mortes.

Que l'être social soit tout, on le dit aujourd'hui. Des prêtres aussi le disent. Eh bien, on dit une fausseté. Ce n'est pas parce qu'une fausseté devient générale, qu'elle devient une vérité.

La vie des Eglises a toujours été un paradoxe, mais sublime, parce que les Eglises étaient la présence de l'éternel dans l'agitation du siècle. Elle risque maintenant d'apparaître comme une absurdité, parce que les Eglises ajoutent à l'agitation du siècle, en cessant de témoigner de l'éternel.

De fait, que se passe-t-il? Vos fidèles s'en vont. Les conversions et les vocations se raréfient. Et il y a un nouveau paradoxe : c'est que toutes les enquêtes révèlent la stabilité de la croyance en Dieu. Trois Français sur quatre déclarent que « l'existence de Dieu est certaine, très probable ou probable ». Mieux : la faim de Dieu se réveille. Huit étudiants américains sur dix, expriment le besoin d'une foi religieuse. A l'Est, l'opposition intellectuelle puise sa pensée et son courage dans la foi.

Au lieu de morale politique, on attend de la morale. Au lieu de philosophie politique, on attend de la métaphysique. Au lieu de prêtres qui répètent en chaire ce qu'ils ont lu dans les journaux, on attend des âmes, des mystiques et des saints. Vos Eglises essayent de se renouveler, par un chemin à rebours des profonds besoins. Le sentiment général, ce n'est pas que Dieu est mort. C'est que vos Eglises se sont mises en chômage.

* * *

Monseigneur, Mesdames, Messieurs, j'ai été incomplet, parfois grossier et sans doute injuste. A plusieurs reprises, j'ai entendu la droite m'applaudir, pour des raisons qui ne sont pas les miennes. Les chrétiens sont si divisés, et de manière si exaspérée, qu'il faut se méfier, maintenant, quand on vous parle : les oreilles ont des murs.

J'ai insulté de tout mon cœur le curé de Belleville. Il n'est pas parmi vous, ni ses semblables. Je lui demande, au-delà d'ici, son pardon. Laissez-moi descendre en moi-même avant que nous nous quittions. Celui qui méprise se surestime. Qui suis-je, pour régler en trois mots, le drame de certaines consciences chrétiennes? Peut-être, chez le curé de Belleville, y a-t-il une pureté flamboyante, qui ne m'éclaire pas? Peut-être brûle-t-elle aussi pour moi, en dépit que j'en aie, dans la secrète communion des âmes? La hauteur de la tragédie antique, c'est que personne n'a raison, ni personne tort. La tragédie ne nous fait pas juge. Si elle se déroule à ciel ouvert, c'est que le juge est au-dessus de nous.

Je dirai, au risque de vous déplaire, que je comprends ce curé, dans une certaine mesure. Par folie de charité, il démolit son Eglise. Par folie d'espérance, il choit dans le messianisme politique. Il regarde, avec une joie douloureuse et sacrificielle, son Eglise s'effondrer sur lui, et il éprouve un mélange humain d'amour-haine. Il dit, après Hugo : « Pierre a toujours aidé César dans ses massacres. » Et : « Voilà mille ans que vous faites payer les émeraudes des tiares par ceux qui n'ont pas de souliers. » Il s'insurge contre cette Eglise branlante. En se communisant, je pense qu'il fait un calcul stupide. Mais s'il prie, peut-être prie-t-il pour que le temple se reconstruise à l'intérieur des âmes.

Seulement (et ici, Monseigneur, Mesdames, Messieurs, je vous rejoins sans doute) quand le temple se reconstruit dans les âmes, les âmes découvrent qu'il leur faut une Eglise.

VI

Un soir de l'automne, j'essayai de convaincre
de tout cela deux jeunes acteurs intelligents et
beaux. L'été, ils avaient servi la poésie dans les cam-
pagnes, célébrant Saint-John Perse au pied des châ-
teaux.

La nuit s'avançait.

— Bon, dit l'un, mais qu'est-ce que vous proposez
pour refaire le monde?

Par fatigue et petite ivresse (heureux ensemble, on
avait un peu bu) rentrant dans son jeune âge, il
déposait son intelligence, comme un guerrier débride
son casque et s'affale dans l'herbe. Ce n'était pas
du tout qu'il me prenait pour guide. Il me disait seulement : Pouce. Jouons à des jeux de notre âge. La
mode et la jeunesse veulent que tout homme, aujour-
d'hui, refasse le monde. C'est le devoir. C'est la vertu.
C'est obligatoire : on est concernés. Refaire le monde
est le second métier de tous. Les meilleurs d'entre
nous refont le monde à temps complet.

Je ne propose rien.

Je propose qu'on médite ces deux observations cliniques :

— « L'imbécile, inlassablement, refait le monde ».

— « On a remarqué à toutes les époques ce phénomène : la tendance des hommes atteints d'aberration mentale à exiger le pouvoir » (Fritz Leiber).

Je crois en cette civilisation. Je crois à sa réussite.

Je crois au succès des sociétés libérales modernes.

Je crois au dépérissement progressif des idéologies politiques.

Je crois que l'organisation pragmatique et le progrès technique ont les plus grandes chances d'établir la justice et de rendre à tous les hommes l'existence confortable et intéressante.

Je crois que la modernité révèle à un nombre croissant d'esprits que la politique est l'art modeste d'arranger les choses pour :

— qu'il ne se passe rien,

— que le niveau de vie soit aussi haut que possible,

— qu'on ait toujours plus de vie privée, avec de plus en plus de libertés et de moyens pour la vivre.

Je crois enfin que, lorsque les esprits sont de plus en plus nombreux à penser cela, on entre dans une civilisation adulte, grande nouveauté.

★
★ ★

Quand ils en seront à chercher en eux-mêmes le meilleur usage possible d'eux-mêmes, beaucoup

d'hommes retrouveront l'enseignement de la tradition spirituelle. Le progrès les aura amenés à la conscience religieuse. C'est d'ailleurs ce qui se produit
déjà, pour une partie de la jeunesse des pays déve-
loppés. C'est avec de l'argent, du temps et des Boeing,
qu'elle va chercher des gourous. Sa quête est un peu
caricaturale. Mais elle annonce l'avenir.

Cela dit, je ne vois aucun inconvénient à ce que
d'autres hommes trouvent leur meilleur emploi dans
le jeu d'échecs, l'apprentissage des mathématiques,
ou le jardinage.

Réduire à rien les passions collectives, laisser
s'épanouir les passions individuelles, voilà pour moi
l'idéal politique. Les passions collectives sont très
peu nombreuses et laides. Les passions individuelles
sont aussi nombreuses et admirables que toutes les
variétés de fleurs du globe. Infini et infiniment varié
est l'homme rendu à lui-même.

Je sens que les idéologues ne vont pas être con-
tents. Ils vont même prétendre que je manque de
moralité. Mais je voudrais savoir où et quand une
idéologie politique a fait progresser la morale. Les
progrès (relatifs) contre la sauvagerie sociale ont toujours été obtenus par la technique. C'est le gaz
d'éclairage qui a calmé les coupe-gorge dans les villes
nocturnes. C'est la machine à écrire qui a libéré les
femmes nécessiteuses des métiers serviles. Ce sont
la photo et la télé, qui obligent le tyran à se contenir.
C'est leur technicité qui rend nos sociétés un peu
moins méchantes que par le passé. Quant à la con-

duite morale, c'est affaire de philosophie intime. Elle
se détermine dans le privé. Il n'y a qu'une possibilité
de progrès moral : l'augmentation de la vie personnelle grâce au progrès technique qui apporte du loisir, de l'enrichissement et de la dépolitisation.

C'est une grande sottise, et qui sent son curé
avancé, que de dire : on va sur la Lune, mais les
hommes n'en sont pas plus honnêtes, loyaux, fra-
ternels. Nous avons eu le Christ et les saints. Nous
avons eu Rousseau et Tolstoï, sans compter Marx.
Nous ne sommes pas devenus angéliques. Je ne vois
pas pourquoi nous demanderions à l'électricité et au
pétrole ce que le Messie et les penseurs ne nous ont
pas donné. Je crois que les vertus sont en nous.
Encore faut-il être à soi pour le découvrir. Nous ne
pouvons demander au progrès que de progresser,
pour qu'il nous rende à nous-même.

Naguère, la gauche mit ses espoirs dans le progrès
des sciences et des techniques. Elle avait raison. Il
est vrai qu'elle était humaniste. Si mon père vivait,
regardant le monde comme il va, peu soucieux du
mensonge des étiquettes, il serait assez satisfait, et
resterait optimiste. L'intelligent de gauche doute
maintenant du progrès. S'il est encore plus intelligent,
il le hait. Sur ce point, on le découvre frère du vieux
Chouan. C'est un retournement bizarre. On viderait
en vain, pour expliquer cela, un plein encrier d'ab-
stractions. La vérité est qu'il s'agit de concurrence.
On fait de la science-fiction en négatif : de la science-
affliction. Avec des effrois et des alertes, on essaye

de cacher ce que tout le monde commence de comprendre : dans ce monde moderne, l'ingénieur et l'organisateur pragmatique peuvent davantage et beaucoup mieux, pour le bonheur et la justice, que l'idéologue et le commissaire du peuple.

Ce qui commence aussi à se savoir, c'est que l'ingénieur trompe moins que l'idéologue. L'ingénieur doit
faire ses preuves, sans discussion. Il ne peut pas
vendre sur catalogue des avions qui tombent et des
machines à laver qui mangent le linge. L'idéologue
propose des modèles et demande le prix d'avance :
des sacrifices et du sang. Quand on se retrouve dupé,
l'idéologue répond que le modèle était garanti, mais
que la garantie ne couvre pas tout : l'histoire a dévié,
des méchants ont saboté, etc. Il n'indemnise pas. Au
contraire, il redemande paiement.

Si l'on construisait mon automobile avec le cent
millième d'erreurs, d'incertitudes, de mensonges de
l'idéologie, je n'en aurais l'usage qu'au cirque, dans
le fameux numéro des Chester-Follies (une guimbar-
de lâchait en piste ses portières, ses ailes, ses roues,
et le moteur explosait, avec pétards, feux de ben-
gale, fusées).

Et enfin, l'important n'est pas : refaire le monde,
refaire les hommes. Que l'on me donne un monde un
peu Suisse, un peu Suède, un peu Californie, je serai
content de mon Occident. Que plus de progrès renvoie davantage les hommes à leur particulier, j'en
remercierai Dieu. Je ne crois pas que les hommes li-
bérés du travail et des mythes révolutionnaires, som-

brent dans un égoïsme abruti. Je ne les prends ni pour des bêtes, ni pour des machines. Je crois que beaucoup d'hommes ont une âme, et que l'âme ne demande qu'à pousser, quand le terrain n'est pas sous des bottes.

Contrairement à ce qu'on écrit, le progrès n'a pas atteint son « sommet critique ». Nous appliquons surtout les découvertes antérieures à cinquante ans. L'application technique des découvertes plus récentes, n'est qu'à son début. On peut en attendre un monde moins historique, c'est-à-dire plus humain. Quand leurs besoins primaires et secondaires seront satisfaits, bien des hommes découvriront un besoin tertiaire : de la morale personnelle et de la spiritualité. Les centrales atomiques et les transformateurs d'énergie solaire, auront plus fait pour l'humanité que le curé dans l'arbre.

On me dira : vous croyez aux bienfaits du progrès. Et vous croyez à du divin dans l'homme. Vous y allez fort! Vous êtes aussi bête que Victor Hugo! Mais moins pardonnable. Il avait du génie, et il ignorait les sciences humaines. Dieu est mort. Et les sciences humaines, en montrant que l'univers et l'homme ne sont que déterminismes, ont prouvé que la conscience et l'âme n'existent pas.

— Voilà un débat, dis-je à mes deux acteurs. Il est plus utile de préciser ses idées là-dessus, que de refaire le monde.

★
★ ★

J'ai raconté, il y a dix ans, une histoire qui a circulé depuis. Un temple de la libre pensée portait sur son fronton, en lettres d'or : « Dieu est mort, *signé* Nietzsche. » Un matin, on découvrit cette nouvelle inscription : « Nietzsche est mort, *signé* Dieu. »

Je crois que le décès de l'Eternel était une fausse nouvelle.

Je ne crois pas à la nature de l'homme que décrivent les sciences humaines. Je suspecte d'ailleurs celles-ci d'être des philosophies sociales, mécanistes et matérialistes, déguisées en sciences.

La technique réalise, sans se prononcer sur la nature de l'homme. Un supersonique transporte aussi bien un rationaliste qu'un chaman. Quant à la vraie science, elle se réserve. Schröedinger disait : « Le lundi, le mercredi et le vendredi, je pense que la lumière est ondulatoire. Le mardi, le jeudi et le samedi, je pense qu'elle est corpusculaire. Et le dimanche, je vais à la messe. » Le savant un peu haut garde son dimanche libre.

L'homme n'est qu'une machine programmée? Je ne doute pas de l'intelligence et des longues études des scientistes qui décrètent cela. Mais je vois aussi une psychose d'époque. Napoléon remplit les asiles de gens qui se prenaient pour Napoléon. Avec l'ère des machines, beaucoup d'esprits se croient robots.

*
* *

Mais allons plus au fond. Tel est l'empire de la religion scientiste : réduire au déterminisme nous paraît toujours une victoire. Mais cette religion couvre-t-elle tout le réel? Ce n'est pas sûr.

Je crois que les origines de cette religion sont vulgaires, et qu'il lui en reste quelque chose.

A mes yeux, toute l'affaire commença en Angleterre, vers 1650, avec la fondation de la Royal Society, première institution scientifique occidentale.

Les fondateurs furent des personnages magnifiques. Elias Ashmole était le premier chimiste de son temps. Il fut aussi un des pères de la franc-maçonnerie spirituelle, et un fervent alchimiste, disciple de Backhouse. Wilkins fut l'ami de Newton. Parmi ses intérêts : une tentative de linguistique générale; la construction de ruches en verre pour observer les abeilles, des projets de navigation stellaire, et la théologie.

Quant à Newton, il fut au moins trois grands hommes à la fois. Le découvreur de la gravitation. Un économiste éminent (directeur de la Monnaie). Et un alchimiste, ce qui demeure inconnu, sinon dissimulé [1].

1. Manuscrits de Newton (collection de l'industriel américain Babson, à Boston). Certains sont des copies d'œuvres alchimiques. D'autres des notes de recherches. Cote 416 : 19 pages sur la Pierre philosophale, avec figures

Ces chercheurs distingués voulurent assurer la suprématie de l'esprit de connaissance, et gouverner les princes. C'était légitime.

Ce qui frappe, chez ces personnages, c'est leur aisance à circuler entre deux univers. Celui de la rationalité et celui des arts magiques. On répliquera qu'il s'agit d'esprits pré-scientifiques, encore superstitieux. Je n'en crois pas un mot. Ce sont des esprits alertes, précis, efficaces. Ils sont scientifiques. Mais ils n'ont pas encore de religion scientiste. Ils considèrent que deux mondes coexistent. Celui de l'expérience. Et celui du magisme sacré. Ils estiment qu'il est intéressant d'aller voir des deux côtés.

Dans toute l'Europe du XVIIe siècle, foisonnent des hommes du même format. Helvétius, Spinoza, enquêtent sur l'alchimie. Ils reçoivent des preuves. Il semble, d'ailleurs, que les maîtres de l'hermétisme tiennent à se manifester. Les temps sont venus, pense-t-on, pour que l'antique savoir et le nouveau, prennent conjointement le pouvoir.

Seulement, cette noble ambition se heurte à un autre phénomène du siècle : l'avènement de la bourgeoisie marchande.

La fondation des collèges de chercheurs répand

coloriées. Cote 417 : Ordre des opérations, 20 000 mots. Cote 420 : une Pratique, 26 pages. Cote 421 : 18 pages de notes sur la Fermentation.

Manuscrits de Newton, au King's College de Londres. En particulier celui où Newton décrit ses discussions avec un ami de Boyle. Tous ces manuscrits sont inédits.

dans le public le goût de la science. Mais d'*une*
science. Et d'*une* philosophie relative à cette science.
L'enseignement public de l'expérimentation, date de
la création de la Royal Society. Et il se passa ceci :

« Ce furent principalement les « garçons de labo-
ratoire » et les apothicaires qui, par leurs manipulations, montrèrent les premiers phénomènes obser-
vables à partir desquels s'édifièrent les connaissances
scientifiques modernes. Il s'agissait avant tout d'ap-
plications pratiques et rentables, notamment par la
vente des couleurs, des onguents, des fards ou de
divers remèdes « miraculeux ». Ce n'est pas faire
injure aux grands chimistes de notre temps, que de
leur rappeler l'origine purement mercantile de leur
science.

« La méthode expérimentale est née de l'expérience du profit [...] Le rationalisme lui-même n'est
pas apparu à la même époque par un pur hasard,
ni encore moins par quelque révolution providentielle
de l'esprit humain. Il constituait, en quelque sorte,
le marxisme de la bourgeoisie, l'instrument théorique de sa conquête du pouvoir et de sa lutte contre
l'aristocratie. Le besoin d'ordre, de clarté, de mesures
exactes, de valeurs aisément échangeables dans toute
l'étendue de l'univers intellectuel, moral et social,
exprime de façon transparente les exigences pratiques de la tenue des stocks, du contrôle des mar-
chandises, de la circulation de la monnaie, de la
surveillance du trafic, de la stabilité des gains. Aussi
est-il superflu d'insister sur l'aspect « hollandais »,

souvent inaperçu, du cartésianisme, ni sur les causes du succès permanent du rationalisme dans une société capitaliste marchande, ou dans une collectivité de type bureaucratique et policier, où il importe de ne pas confondre les hiérarchies ni les fiches, afin que l'ordre règne, quels que soient les moyens de l'imposer aux individus [1]. »

Je n'ai jamais lu en si peu de lignes, si éclatantes, le récit de la prise de possession de l'intelligence par le rationalisme.

La morale privée et sociale du bourgeois conquérant, trouve aussi son bonheur dans la nouvelle philosophie. Samuel Pepys, grand bourgeois et haut fonctionnaire anglais, s'inscrit comme auditeur à la Royal Society [2]. Il assiste à des manipulations et à des dissections. Le voici « éclairé ». Il souffrait de rhumatismes, et pour s'en préserver, gardait toujours en poche une patte de lièvre. Il note dans son journal : « J'ai jeté ma patte de lièvre. » Ce n'est pas qu'il se voue désormais à la connaissance. Mais il jette avec sa patte de lièvre, l'autre univers. Le voilà libre. Désormais, quand il trompera Mme Pepys, ou touchera des pots de vin, Dieu ni l'œil de sa conscience ne seront plus là.

1. Bernard Roger, introduction à *La Lumière sortant par soi-même des Ténèbres,* édition du texte alchimique de Marc Antonio Crasselame, Bibliotheca Hermetica, dirigée par René Alleau, Denoël, Paris, 1971.
2. Cf. le célèbre *Journal* de Samuel Pepys (1632-1703).

En 1687, paraît à Paris, après Venise et avant l'Allemagne, un chef-d'œuvre de la littérature alchimique : *la Lumière sortant par soi-même des Ténèbres,* signé de cet étrange pseudonyme : Fra Marc Antonio, Crassellame chinois. Il est précédé d'une *Lettre du Traducteur,* d'un Bruno de Lansac, dont on ne sait rien. Cette lettre montre qu'en peu d'années, le climat de l'intelligence européenne est devenu froid. Descartes est empereur. L'antique connaissance est discréditée. On est loin de l'œcuménisme culturel d'un Newton :

« A vrai dire, je n'en attends pas fort grand bruit, connaissant le goût du siècle, et je suis fort sûr qu'on aimerait beaucoup mieux voir des traités de philosophie selon Descartes que selon Hermès. Le premier est à la mode et a toutes les grâces de la nouveauté, au lieu que le dernier est si vieux et si usé qu'à peine son nom est-il connu du monde. L'un ne propose que des choses faciles à démontrer, en se tenant à la seule superficie des corps; l'autre, plus abstrait, ne s'attache qu'à l'essence intérieure des choses. Enfin, l'un se renfermant dans la mécanique, ne donne aux choses qu'une vertu de machines, et prétend que le mouvement, de lui même indifférent, ne produit des choses diverses qu'à raison des diverses configurations des corps qu'il meut, au lieu que l'autre, tout intellectuel, admet une âme universelle du monde, agissante, intelligente et informante. »

Deux conceptions de l'univers, de la nature, de l'homme. L'une refoulée. L'autre se voulant exclusive. Tout l'impérialisme et la profonde injustice de la culture dominante aujourd'hui, sont déjà dans ces lignes de 1687, écrites par un inconnu préfaçant un anonyme.

La rationalité matérialiste ne peut saisir totalement le monde et l'homme. Mais elle peut se saisir du monde et de l'homme. Ses résultats pratiques lui permettent d'imposer une philosophie qui refoule et discrédite l'intuition spirituelle. De se substituer à l'intelligence religieuse en devenant elle-même Eglise. De renier le fond archaïque, comme Pierre renia Jésus, et fut la pierre de l'Eglise.

Le totalitarisme de cette philosophie est lié à un génocide culturel utile aux sociétés marchandes comme à la bureaucratie politique de masse. Nos « sciences humaines », qui dénient à l'homme toute réalité autonome et supérieure, essayent de maintenir ce totalitarisme, alors que les incertitudes croissantes de la science et la libération des sensibilités, réclament justice pour le fond originel. En un sens, le renouveau mystique dans la jeunesse, est un postscriptum à la lettre de Bruno de Lansac.

Les acquis de la méthode expérimentale et de la rationalité, sont incontestables. Tout le progrès, auquel je crois, en vient. Mais je crois aussi que le temps est venu pour l'œcuménisme culturel souhaité par les grands éveilleurs du début du XVIIe siècle.

Le scientisme est une volonté de puissance. Réduites « à la superficie des corps », il y a une nature exploitable et une société à exploiter.

Il y avait chez Wilkins, Ashmole, Newton ou Leibnitz, le sentiment encore très vif que ce n'est pas
tout. Que la connaissance est une volonté de présence. C'est ce que disaient les alchimistes à Newton,
ce que disait la vieille sagesse chinoise à Leibnitz.
Une volonté de présence à la complexité harmonique
de la Création. Et un désir artiste de participer à
cette harmonie. Une aventure à la fois scientifique,
poétique et spirituelle, en correspondance avec
l' « essence intérieure des choses ». Somme toute,
que la véritable connaissance tient à l'idée profonde
que deux univers coexistent.

Quand, voici douze ans, je professai publiquement
un égal intérêt pour la science et le magisme, je fus
persécuté par les rationalistes. J'écrirai un jour ce
que fut cette persécution. J'étais dans le vrai. Cependant, je commis une erreur. Je pensais que science
et magisme sont conciliables. Non. Ils sont coexistants. Si la chimie et l'acupuncture anesthésient également en profondeur, si le physicien et l'alchimiste
réalisent l'un et l'autre des transmutations, les univers qui déterminent ces effets ne sont pas les mêmes.
La science cherche et réalise dans un univers dont
« le mouvement est de lui même indifférent » et qui
« ne donne aux choses qu'une vertu de machine ».
C'est un univers réel. Le savoir ancien et traditionnel s'emploie dans un univers tout aussi réel, mais
qui est doué d'énergies bonnes ou mauvaises, d'une
« âme agissante et informante », d'intelligences cachées dont l'homme n'est qu'une fraction.

Il se pose une question. Dans le premier univers, on voit comment, par quels cheminements et quelle histoire, les hommes ont acquis leurs connaissances. Dans le second, on ne voit pas comment l'autre science, l'ensemble des connaissances du magisme, furent donnés aux hommes dès le début des sociétés humaines. Du dehors? Par une façon d'utiliser le cerveau que nous avons en partie perdue? C'est pour moi la plus vaste question.

Quoi qu'il en soit, ce qui me paraît la grandeur de l'intelligence, c'est que les deux univers coexistent dans une même tête. Il y a sans doute une façon d'utiliser le cerveau (le « cadeau-surprise » de l'évolution) qui établit le contact avec l'univers né par la rationalité. Celle-ci joue certainement sur le piano un air très beau. Mais l'autre esprit plaque les accords. Il faut pouvoir entendre toute la composition.

Le langage de la rationalité n'est pas le seul langage. Je crois que le langage du fond archaïque détient la fonction harmonique. Le rationalisme le tient pour fossile. C'est une erreur. C'est un hibernant.

Le crime contre l'esprit a des dimensions infinies. Il consiste à vouloir anéantir un des deux univers dans la tête de l'homme. C'est le crime de la philosophie scientiste.

*
* *

La plupart des scientistes du XIX* siècle, ont dit qu'il fallait croire exclusivement à une mécanique

universelle remontée par le hasard. Maurois[1] rap-
pelait que Tyndall, en 1874, prétendait que la science
serait bientôt capable de réduire à des enchaînements
inévitables, tout ce qui était arrivé à la terre et à
l'humanité, « de la nébuleuse originelle jusqu'à ma
conférence d'aujourd'hui à l'Association Britannique
pour l'Avancement des Sciences ».

Thomas Huxley, l'ami de Darwin : « Les pensées
que je viens d'exprimer dans ma conférence, et vos
pensées sur mes pensées, ne sont que l'expression de
changements moléculaires dans la matière. »

La vertu et le vice sont des produits, comme le sucre et le vitriol. Il n'y a pas de forces inconnues et
intelligentes dans le ciel, dans le monde, dans
l'homme.

Julian Huxley, petit-fils de Thomas : « Le corps,
l'esprit, l'âme de l'homme, et tout ce qu'ils produisent, y compris les lois, les mœurs, les religions, les
dieux, les arts, résultent entièrement de l'évolution. »

Aujourd'hui, les descendants de Tyndall et de
Taine, continuent le même discours. Les mots sont
nouveaux, mais l'idée inchangée. La complexité et
la spécialisation croissante de la science devraient,
en principe, exclure la généralisation philosophique.
« Le malheur n'est pas que la science se spécialise,
c'est que les spécialistes aient une fâcheuse tendance
à universaliser leurs découvertes[2]. » Partant d'un tra-

1. Dans son *Ce que je crois.*
2. Debray-Ritzen, Interview dans la revue *Psychologie,*
1972.

vail très particulier, ils se prononcent globablement sur la nature de l'homme et du monde. Presque toujours au crédit de l'idéologie mécaniste et déterministe.

Marx ne voyait dans la religion qu'une superstructure de la classe dominante. Je ne crois pas que ce soit entièrement vrai. Mais l'idéologie scientiste est sûrement une superstructure pour la consolidation de la classe intellectuelle matérialiste.

L'opinion se soucie peu de la science pure. Les « sciences humaines » lui parlent davantage. Elles parlent d'ailleurs énormément aujourd'hui. Le discours public, avec son grand thème réducteur, est repris par l'anthropologie, la psychologie, la sociologie, la linguistique, etc.

Le déterminisme avait trouvé son expression politique chez Marx. L'esprit est le produit de la matière en mouvement. En action dans l'homme, il coopère aux forces naturelles. Il peut modeler l'histoire. Mais on peut être à la fois révolutionnaire et déterministe, si l'on a compris que l'économie, et plus précisément le régime de la propriété, contiennent l'explication totale de la pensée et de l'aventure humaines.

La conscience est une sécrétion des formes de la vie économique et sociale. « Ce n'est pas la conscience des hommes qui détermine leur être, mais c'est au contraire leur être social qui détermine leur conscience. » Affirmation conforme à l'idéologie scientiste. En conséquence de quoi, la tactique culturelle de Lénine, sera de chasser toute pensée et toute sensibilité non matérialiste et non déterministe, toute philosophie, ancienne ou moderne, de quelque façon étrangère à la lutte des classes [1].

Freud, lui, est un déterministe bourgeois (M. Pepys serait freudien de nos jours). Il se livre à une analyse relativement neuve et profonde de la nature humaine. Mais il lui faut, aussi passionnément qu'à Marx, un principe réducteur. Il ne le trouve pas dans l'économie, mais dans le sexe. La religion, l'art, la morale, ne sont que des sublimations d'instincts génésiques frustrés. Il n'y a pas de conscience autonome et suprême : on ne fait que rationaliser des complexes formés dans l'inconscient sexuel. Il n'y a pas de jugement de valeur, ni de valeurs : seulement des arguments pour étayer des illusions en provenance de la libido. Les pulsions sexuelles de l'enfance déterminent l'être. L'Œdipe et le complexe de castration sont au cœur de tous nos actes.

Je ne crois ni à l'homme selon Marx, ni à l'homme selon Freud. Marx et Freud sont également totalitaires. Ils ajoutent à leur doctrine un système d'autoreproduction. Ils investissent le milieu hostile avec l'arme de tout dogmatisme : me contredire est me confirmer. Si tu n'es pas marxiste, c'est par conscience de classe. Si tu n'es pas freudien, c'est à cause des tabous freudiens. Système de l'Inquisition.

1. Cf. R. de Lacharrière, *La Divagation de la pensée politique,* P.U.F., 1972.

Freud n'est que relativement neuf. Nombre de ses « découvertes » ont été faites par Janet. Cela commence à se savoir. Son hagiographie invite l'esprit public à le prendre pour le premier découvreur du psychisme inconscient. C'est absurde. « L'existence d'un psychisme inconscient a été postulée par des philosophes grecs et hindous, par les mystiques de toutes les religions, par saint Augustin. Cette notion devient plus scientifique avec Leibnitz, très populaire avec les romantiques allemands et, au XIXᵉ siècle, elle entre dans la voie expérimentale avec Herbart, Fechner, Helmholtz, bien d'autres. Pour ce qui est de l'utilisation thérapeutique de l'inconscient, elle remonte à la nuit des temps, c'est-à-dire aux chamans et medecine-men de tous les peuples [1]. »

1. Professeur Henri Ellenberger. Son œuvre capitale est *The Discovery of the Unconscious,* 900 pages. Paru en 1969 chez Basic Books, New York et Penguin-Press, Londres. Il constitue la première grande mise au point, à propos du Freudisme. A paraître en français, éditions S.I.M.E.P., Lyon.
J'extrais ces lignes d'un entretien réalisé par la revue française *Psychologie,* avril 1972.
Ellenberger poursuit :
« Mais ce n'est là qu'un aspect de la question. La découverte de l'inconscient a été essentiellement une œuvre collective, effectuée surtout au cours des deux ou trois derniers siècles par une multitude de gens. Parmi eux, on trouve des philosophes (comme Schopenhauer, Von Hartmann et Nietzsche), des psychologues (comme l'Américain William James et son ami le Suisse Théodore Flournoy), des psychiatres (comme ceux de l'école romantique allemande, bien

Freud n'est que relativement profond. L'esprit,
contrairement à ce que croyait Descartes, n'est pas
réductible à la raison. Mais il ne l'est pas non plus
à l'inconscient sexuel, comme l'a voulu Freud, défi-
nissant l'humanité à partir de ses névroses person-
nelles. Il y a l'inconscient qui se souvient de tout,
et dont s'émerveillait déjà saint Augustin. Il y a
l'inconscient créateur, dont les poètes ont témoigné
(comme Hugo) et les génies mathématiques (comme
Poincaré). Il y a l'inconscient développeur de mythes. L'inconscient est-il d'ailleurs un nom à conno-

oubliés aujourd'hui, et plus tard les Suisses Auguste Forel
et Eugène Bleuler); il y eut des parapsychologues (parmi
lesquels le célèbre Frederick Myers)... Le spiritisme lui-
même a contribué à cette marche vers la connaissance scientifique de l'inconscient : ce sont des spirites qui ont inventé
la méthode de l'écriture automatique pour faire parler les
« esprits », mais cette méthode de l'écriture automatique
a été reprise pour explorer l'inconscient par des psychologues tels que William James et Pierre Janet. Il faut citer
enfin une catégorie de personnes systématiquement oubliées
jusqu'ici : les malades. Dans mon ouvrage, j'ai montré que
beaucoup de découvertes, vraies ou supposées, n'ont pas été
faites par les pionniers auxquels on les attribue, mais par
leurs malades, aussi bien sur le plan théorique que sur le
plan thérapeutique. »

(J. F. Herbart (1776-1841), allemand, promoteur d'une
psychologie dynamique.

G. T. Fechner (1801-1887), allemand, un des fondateurs
de la psycho-physique.

Herman von Helmholtz (1831-1894) physicien et physio-
logiste allemand.)

tation convenable, pour cette plus grande part immergée de l'esprit, qui ne dort jamais, se souvient de tout, imagine tout, et sait tout?

Encore Freud avait-il une haute idée (tragique) de la destinée individuelle. Au Congrès de Psychanalyse de Vienne, en 1972, on entendit ceci :

« Freud et Marx ont tous deux découvert les lois véritables qui nous gouvernent : l'inconscient et la lutte de classes. Ces deux théories devraient permettre à l'homme de prendre en main lui-même les rênes de son destin » (doctoresse Marie Laugier, déléguée d'Argentine [1]).

Ce qui signifie exactement le contraire : ces deux théories conjuguées, et imposées par nous, scientistes, devraient nous permettre de persuader les hommes qu'ils ne sont maîtres, ni de leurs pensées, ni de leurs sentiments, ni de leur volonté, ni de leur destin.

L'autre tendance de la psychologie réductrice (qui règne en U.R.S.S. et prend le pas actuellement sur la psychanalyse aux U.S.) est purement mécaniste. Ecole de Pavlov. Ou école béhavioriste anglo-saxonne. Watson ouvre son ouvrage fondamental par ces lignes : « Nous croyons que l'homme est un animal qui ne se distingue des autres animaux, uniquement que par certains types de comportement. » Son disciple, Skinner, publie une thèse selon laquelle il faut en finir avec les idées de liberté et de dignité souve-

1. Compte rendu de l'hebdomadaire *L'Express*.

raines dans l'homme [1]. Ce livre réalise une prouesse.
Il décrit tout le comportement humain et social à partir de tests sur les rats et les pigeons, sans que jamais
référence soit faite aux rats et pigeons, comme si
l'assimilation allait de soi. Toute la vérité humaine
est dans la ratologie.

François d'Assise avait répondu d'avance à Watson et Skinner : « La lumière spirituelle ne nous est
pas, comme l'autre, commune avec les mouches. »
Mais Watson et Skinner ne lisent pas ce Frère-Rat.

La linguistique structurale couronne l'édifice mor-
tuaire sous lequel repose le cadavre psychologique.
La pensée est une illusion du langage. Le langage
est un produit des structures, lesquelles se fondent
dans une « dialectique de la nature », c'est-à-dire
n'importe quoi.

Ainsi, le déterminisme, caduc en physique, s'est
réfugié dans les sciences humaines. Il y mène un
vigoureux combat d'arrière-garde. Dans tous les domaines où s'exercent les sciences humaines, mode-
lant la mentalité par un incessant discours public,
celles-ci s'opposent à l'existence, dans l'homme comme dans l'univers, d'une « âme agissante et informante ». Elles contraignent la conscience à se répu-
dier, l'immémoriale et constante intuition spirituelle
à se renier. Elles annulent le rôle de la volonté personnelle et du jugement propre. Elles anesthésient

---

1. B. F. Skinner. Publié en français : *Au-delà de la liberté
et de la dignité,* éd. Laffont, 1972.

le sentiment de liberté intérieure, de libre arbitre, de possession de soi. Elles refusent toute possibilité à l'homme de s'extraire du monde comme de soi, de se dominer et de changer le destin.

La politique n'échappe pas à cette négation. Des mécanismes, des structures, un sens, des lois, régissent impérativement les sociétés. L'histoire cesse d'être considérée pour ce qu'elle a toujours été : un recueil d'histoires sur le passage dans les siècles de l'homme éternel. Elle est décrite comme une super-mécanique qui attend son Tyndall — à moins qu'elle ne l'ait reçu, par grâce exceptionnelle, en la personne de Marx. Elle est la super-détermination de la mécanique humaine.

Des professeurs, qui livrent en gros ces idées, s'étonnent que la jeunesse ait peu d'appétit intellectuel. Je m'en étonne moins. Si j'avais à faire mes études sous le poids de l'idéologie dominante, je préférerais la moto, ou jouer au flipper. Je ne serais pas pressé d'apprendre, pour apprendre que je n'existe pas.

Mais, des vies non vécues, parce que non intériorisées, monte une irrépressible puissance de destruction et de démission. Un journaliste-philosophe parlait de « l'actuel discrédit du divin et de l'humain ». Il y voyait un progrès. Certainement. Mais pour qui? Quand il y a discrédit du divin et de l'humain, le crédit du tyran est en hausse.

*
* *

Un autre journaliste-philosophe, invité par un éditeur à écrire le récit de sa vie, est fort gêné. Il dirige un journal gorgé de l'esprit de nos sciences humaines : marxiste, freudien, structuraliste, etc. Comment parler de soi quand on est persuadé que l'homme n'existe pas? C'est le grand embarras qu'il nous confie en avant-propos :

« Inviter certains animateurs de journaux à décrire comment ils sont devenus ce qu'ils sont, tel est, semble-t-il, le propos de l'éditeur. Mais « deviens ce que tu es » est une invitation nietzschéenne qui date de plus d'un siècle. Et l'on assure aujourd'hui que nous n'avons guère la possibilité de prendre part à ce devenir. Notre vie? Elle aurait été « programmée » d'abord dans nos gènes et nos chromosomes. Notre comportement dépendrait d'un inconscient, d'une libido déjà formés dans une existence utérine. Notre psychologie? Elle serait définitivement façonnée à l'âge de deux ans, selon nos rapports avec nos parents et les « modèles culturels » de notre environnement. Notre savoir, enfin, dépendrait du langage qui nous a été imposé, tandis que notre pensée n'exprimerait que les structures familiales où nous avons grandi. Quant au reste, si l'on ose dire, il ne saurait évidemment échapper aux déterminismes économiques.

« Ainsi le marxisme, la psychanalyse, le structuralisme et la sémiologie, unis pour nous priver de toute illusion concernant notre liberté, ont-ils achevé de tuer cet homme que Nietzsche, déjà, avait privé de Dieu. Engoncé dans de si nombreuses nécessités, comment ce hasard garderait-il le moindre intérêt [1] ? »

Le ton dubitatif n'est que de forme. Cet homme intelligent partage ces idées et les répand toutes les semaines. Je me demande comment on peut vivre avec cela. Pourquoi ne pas se suicider? La vérité est qu'on se suicide. Il y a des suicides longs et sophistiqués. L'autre question est : à quoi croient ceux qui ne croient à rien? A la révolution? Mais en quoi l'égalité est-elle préférable à l'inégalité, entre ces « hasards sans intérêt » que sont les existences humaines? Je pense que l'idée de révolution chez les gens qui ne croient à rien, s'érige malgré tout contre leur propre négation. Quelque chose, en eux, râle contre leur conception de l'homme. Ils reprochent au monde et à la société, la sinistre idée qu'ils se sont faite d'eux-mêmes. Je comprends aussi qu'ils nourrissent un sentiment apocalyptique. La fin de tout confirmera qu'ils n'existent pas. Il reste une dernière explication : ceux qui ne croient à rien, n'y croient pas tout à fait. Mais convaincre les autres hommes de leur absolue inexistence, aide fichtrement à prendre le pouvoir sur eux.

Comment l'homme, persuadé par les « sciences humaines » de sa vacuité radicale, prendrait-il conseil de soi? A quelle grandeur, à quelles vertus intimes ferait-il appel? Quelle voix entendrait-il dans

1. Jean Daniel, directeur du *Nouvel Observateur : le Temps qui reste*, Stock, 1973.

ses profondeurs? Quel sentiment d'une harmonie entre soi et l'univers, viendrait éclairer son destin?
Compterait-il sur son âme, convaincu de ne pouvoir,
en rien, compter sur lui-même? Il n'existe pas assez
pour tenter de s'amender en quoi que ce soit. Il lui
faut s'en remettre, sinon pour se réaliser (réaliser
quoi en ce néant?), du moins pour n'avoir plus de
problèmes, au sociologue, au psychologue et, surtout,
au chef des guides : l'idéologue qui connaît les Lois
de l'Histoire. L'homme est parti. Demeure le parti
pris politique.

*
* *

Ainsi la pensée réductrice traque-t-elle jusque dans
son intimité, pour obtenir son reniement et l'amener
à des fins sociales et politiques, l'homme d'intuition
spirituelle, de méditation, de prière et de poésie.
L'homme éternel, qui subsiste cependant chez
l'homme, éprouve que le climat culturel ne lui convient pas. Beaucoup d'entre nous s'y conforment
néanmoins. Ne pas s'y conformer, quel poids à soule-
ver et quelle audace! Ils acceptent. Tout dans l'air du
temps les y contraint. Tout dans leurs profondeurs
s'y refuse et chuchote, comme le personnage d'Edgar
Poe dans *les Révélations magnétiques* : « Je ne puis
vous cacher que, dans cette âme que j'allais niant,
il y eut toujours comme un demi-sentiment vague
de sa propre existence. »

*
* *

Nous écoutons volontiers quand on nous dit du mal de nous. « Tout est fragile dans l'âme humaine, même la plus forte. Le sentiment de l'absolu, le sentiment de l'essentiel sont toujours vulnérables [1]. »

Je crois que la théorie générale des « sciences de l'homme » est fausse. Mille arguments scientifiques et intellectuels sont à ma disposition pour le prouver. Je suis persuadé que l'ensemble philosophique de la « mort de l'homme » s'effondrera. Mais je connais une conduite qui prévaut sur toutes les démonstrations. Elle m'a été enseignée par un enfant poète, un petit garçon merveilleux, en proie à des parents stupides et mauvais.

Un jour, il pleurait sur l'escalier de sa maison. Je l'ai pris dans mes bras. Je retenais mes larmes.

— Oh! ça ne fait rien, tu sais, me dit-il, quand ils me disent du mal de moi, je ne le crois pas.

*
* *

En relisant *les Mémoires trouvés dans un souterrain*, de Dostoïevsky, j'ai trouvé ceci :

« Alors, dites-vous, la science apprendra à l'homme qu'il n'y a rien réellement en lui, qu'il n'y a jamais rien eu, que lui-même n'est rien qu'une sorte de touche de piano ou d'anche d'orgue; mais qu'il reste des lois de la nature, de sorte que tout

1. Henri Petit, *les Visages,* éd. Plon, 1973.

ce qu'il fait ne s'accomplit nullement par sa volonté
propre, mais de soi-même, d'après les lois de la nature. Il suffit de découvrir ces lois; alors l'homme ne
répondra plus de ses actes, et la vie lui sera très
facile. Tous les arts humains, bien entendu, seront
calculés d'après les lois, mathématiquement, à la manière d'une table de logarithmes. [...] Mieux encore :
il paraîtra, dans le genre dictionnaires encyclopédi-
ques, des livres où tout sera si minutieusement cal-
culé et marqué, qu'il n'y aura plus au monde ni
action ni aventure. Alors surgiront de nouveaux rapports économiques, déjà tout prêts et calculés avec
précision mathématique, de sorte qu'en un instant
disparaîtront toutes les questions possibles. »

Et, quelques pages plus loin :

« Non, non! il ne restera rien de libre dans moi,
dans l'homme. Surtout si je suis instruit. Par exemple, si je viens de terminer ma licence. »

Dostoïevsky entendait déjà le discours des « sciences de l'homme » : l'homme n'est qu'un objet vivant
parmi d'autres objets vivants. On a tout compris :
il n'y avait rien à comprendre dans cet objet nommé
homme. Il s'agit seulement, (comme l'écrit un scientiste autorisé) « de l'objet de la scientificité ».

Les réfutations ont été faites. Du marxisme par
Galbraith, Aron, Lacharrière, etc. Du freudisme, par
Ellenberger. Du béhaviorisme par Koestler. Je ne
cite que cinq noms, sur des centaines. Si ces réfutations ne sont pas enseignées aux étudiants et à l'opinion, ce n'est pas qu'elles manquent de définitif. C'est

que la scolastique du cadavre psychologique est utile à la classe culturaliste dominante comme à la politique de masse.

L'habileté d'un pouvoir culturel aussi négateur est de dire aux hommes que la sensation d'étouffement psychique provoquée par lui-même, vient du dehors : de la société, du progrès, des conditions économiques et politiques. Il excite ainsi ses victimes à une prétendue révolution qui fera une société encore plus destructrice de l'âme individuelle, davantage sous domination scientiste matérialiste.

Et puis, le courage n'est pas la chose au monde le mieux partagée. Penser autrement a toujours eu « un relent d'illégitimité, quelque chose d'incorrect, de maladif, de blasphématoire, et qui ne va pas sans dangers sociaux [1] ».

Je le répète : l'idéologie scientiste n'est pas la science. Elle exprime la volonté de puissance d'une communauté agissant au nom de la science. Je crois qu'un jour cette superstructure disparaîtra, parce que ses assises théoriques se déroberont. La nature de la connaissance est d'être, comme l'homme, océanique. L'océan engloutira le scientisme.

C'est commencé. Nous savons maintenant que « nous en savons de moins en moins sur de plus en plus de choses ». Ce sont les ébranlements de la physique qui font glisser le terrain, en nous rapprochant plus de l'univers d'Hermès que de celui de

1. Jung.

Descartes. Les physiciens annoncent la mort de la
matière, du déterminisme, de la causalité. « S'il en
est ainsi, faisons-leur des funérailles décentes, avec
requiem de musique électronique. Il est temps de
nous débarrasser de la camisole de force que le matérialisme impose à nos conceptions philosophiques [1]. »

Pourtant, la culture-qui-cause est de plus en plus
dogmatique. Tout se passe comme si les « sciences
de l'homme » avaient été rapidement développées,
comme une armée fait appel à des mercenaires, pour
la défense de l'empire philosophique, psychologique
et politique du matérialisme.

Je crois enfin que la volonté de se fournir à soi-
même et d'imposer à autrui une explication définitive de l'homme et du monde, appartient à une activité inférieure de l'esprit. Ou plutôt, à une chute de la
pensée, des zones de l'interrogation ouverte, aux régions basses de la certitude. Tout s'arrête. Tout se
fixe. L'image instantanée qu'on nous donne, est celle
d'un homme qui vole superbement dans les airs,
dégagé de la pesanteur. Pas du tout. C'est la photo
du plongeon nommé saut-de-l'ange. C'est une chute.

*
* *

Cela dit, soyons mesuré. Je repousse ces explications réductrices et totalitaires. Je les estime caduques. Mais je dois les replacer en leur temps. Le véritable âge scientifique s'ouvre à peine. Nous sommes

1. Arthur Koestler, ouvrage cité.

encore aux trois quarts dans l'âge des idéologies. Les fondateurs des « sciences de l'homme » ont voulu s'opposer à des explications elles aussi abusivement réductrices. Hegel au Dieu jaloux, par l'esprit. Marx à l'esprit vague, par l'économie. Freud au puritanisme chrétien (et cartésien) par la pulsion sexuelle inconsciente. Watson à l'idéalisme absolu par la machine humaine. Tous ont apporté quelque chose. Mais leur passion leur a fait substituer des scolastiques à d'autres. Chacun a prétendu que le petit outil avec lequel il soulevait un couvercle, était le levier du monde.

Nous recommençons à comprendre, maintenant, qu'on ne saurait s'arrêter à quelque explication globale, et que l'adage Zen dit vrai : « Qui s'arrête se trompe. »

D'ailleurs, quand il arrive que le travail de ces belliqueux engendre une méthodologie, celle-ci, comme toute science réelle, cesse de se prononcer sur les fins. La science de l'économie exclut les doctrines économiques. La physiologie et la chimie du cerveau, excluent les points de vue privilégiés de Watson ou de Freud. Je ne sais plus qui, pensant comme moi, a dit : « Ces " prophètes ", donnent naissance à des sciences qui réduisent leur prophétie à une vague lueur dans un couloir où il y a d'ailleurs d'autres lumières. »

Je crois que le mystère de l'homme et du double univers demeure entier. Je crois qu'il ne faut pas confondre la méthode jivaro avec la civilisation. Cou-

per une tête, la réduire et nous la tendre en décla-
rant : « Telle est ta face, humain! » : non, je ne me
laisserai pas intimider. Je dirai non avec mon savoir
et mon intelligence. Quand mon savoir serait faible
et médiocre mon intelligence, il me resterait, comme
le petit garçon lumineux, et qui avait raison, à ne
pas croire le mal qu'on me dit de moi.

MILIEU

I

Un soir, à la télé, j'entendis l'écrivain Manès Sperber résumer sa pensée :

« Notre époque est à la fois exaltante et abominable. Mais, à mes yeux, le monde n'est jamais que
l'esquisse, le projet confus d'un autre monde à
venir. »

Notre époque? Toutes les époques ont été, pour
les intelligents sensibles, exaltantes et abominables.
Les élites devaient dire la même chose à Lascaux.

Le reste du propos mérite l'attention. Sperber parlait double. Comme Juif traditionnel, l'attente du
Messie. Comme conscience actuelle, le rêve d'une
société et d'une humanité parfaites.

J'ai du respect pour Sperber. Respect aussi aux
vieilles femmes de son peuple qui, sur le pas de leur
porte, dans les rues de Saffed, attendent l'envoyé du
Seigneur. Je ne l'attends pas. Qu'il soit déjà venu,
en la personne du Christ, j'en doute. Je suis étranger
au messianisme judéo-chrétien. Tout le possible est
en moi ici et maintenant; Dieu aussi. Mais les âmes

sont libres. A chacune sa croyance. Les voies sont multiples. Que l'Eternel bénisse les grands-mères.

Ce qui me hérissa, c'est d'entendre, une fois de plus, un confrère faire de l'angélisme, et célébrer, larme à l'œil, ce grand sentiment toc : espérer un monde tout sucre et des hommes avec des ailes.

Bien entendu, dans les foyers, on trouva que c'était un noble cœur. Pour moi, c'était un représentant en poisons. La littérature dispose souvent à ce second métier.

*
* *

On a dit que le messianisme surgit à chaque crise de civilisation. Ce n'est pas mon avis. Je crois que le messianisme est une maladie cyclique de l'esprit. Quand cette maladie se manifeste, elle engendre la crise, elle détériore une civilisation. Le monde antique doit sa gloire, sa sagesse, sa lumière, à ce qu'il fut sans attente. Il mourut, après tant de siècles admirables, d'une peste nommée espérance, propagée par des chevelus étrangers. Les Incas eussent pu égorger Pizarre (comme cet ancien porcher ses cochons). C'est croire à la réalisation d'une prophétie : l'arrivée d'un Dieu blanc, qui les paralysa.

Un meilleur monde, au-dessus de l'existence profane, Dieu et mon âme, oui. Mais que cette rose du cœur se déshydrate : elle penche la tête; elle ploie, elle tombe dans les régions dérangées de la haine du présent, de l'impatience d'autre chose ici-bas. Un homme nouveau; changer la vie : un moralisme fantôme hante les cœurs dépris d'eux-mêmes, les consciences perdent leur centre de gravité, les âmes partent en errance, une fièvre remplace le feu.

Des fléaux naturels ont ravagé l'humanité. Il en est d'abstraits. Je vois dans le messianisme historique une peste mentale. Cette peste nous ronge. Pourtant, je le crois, l'exploitation d'énergies et de richesses naturelles sans limites, les bienfaits d'un pragmatisme politique et social engendré par la science et la technique, vont faire baisser la pression des idéologies messianiques et rendre caduques les fébrilités, les rages, les illusions que ces idéologies suscitent.

« Les lendemains! me disaient des ingénieurs sibériens. Chez vous, un homme va en prison et ensuite écrit un livre. Chez nous, il écrit un livre, et ensuite va en prison. Voilà nos lendemains. Qu'est-ce qui prend à vos élites, de vénérer nos prophètes Marx et Lénine? Ne nous en parlez pas! Nous avons trop vu leurs portraits dans les commissariats. Occupez-vous plutôt, comme nous ici, de la révolution au deuxième degré. La révolution du deuxième degré consiste à préférer les résultats aux étiquettes, et à se pencher d'une façon non émotionnelle sur les statistiques. »

Je pense, comme ces gens, qu'il faut mettre à refroidir la politique mystique, et que le vrai changement, c'est arrêter le discours idéologique, faire taire l'histoire, et être ingénieur.

*
* *

Je lis des folies dans nos journaux intellectuels. Par exemple, cet éloge d'une petite revue d'extrême gauche :

« Ces pages, un peu rêches dans leur blancheur, c'est le tableau noir *(sic)* où s'esquissent depuis 68 les premiers traits, les premières traces, d'une société enfin démontée, enfin mise à nu dans ses articulations. Prête au changement [1]. » Ce galimatias signifie que la meilleure manière de savoir l'heure, c'est de mettre sa montre en pièces.

Extasié, l'auteur s'écrie : « Change! Qui rime avec Ange! » Mais l'important, pour moi, est de trouver des rimes à homme.

Je reviens à Sperber. Son sentiment est fort répandu. On le tient pour vertu. Moi non. Je crois que ce sentiment est cause, chez mes contemporains, d'une dégénerescence de la faculté d'être. Mes contemporains imputent leur malaise aux événements, au progrès. C'est par leçon apprise et faute de s'inspecter eux-mêmes. On n'est plus à soi. On éprouve de la non-vie. Une inquiétude, une insatisfaction serrent le cœur. C'est la faute de ce monde impossible. Ce n'est pas la faute du monde, et ce monde n'est pas impossible. Si les gens descendaient dans leur fond, ils y trouveraient cet acide : le messianisme.

1. *Nouvel Observateur,* juil. 1973. A propos de la revue *Change.*

Les salles d'attente ne sont jamais des séjours agréables. Si j'éprouve ce monde comme lieu d'attente, je m'y sens flottant, oppressé, inquiet, sans unité, sans contact. Tous ces vagabonds sont en suspens et fermés. Et ce train qui n'arrive pas! Quelle horreur! Passer toute sa vie ici!

Si je pense que ce monde n'est que l'attente d'un autre, qui suis-je? Un nomade bloqué dans une galerie des pas perdus. Un exilé de l'avenir. Un pas de veine dans un présent prison. On m'a salement coincé, en vue de la terre promise. Condition désastreuse. On est dur. On m'en veut. On est injuste. Je suis victime de On.

Epictète disait : « Quelle est la punition de ceux qui n'acceptent pas les choses pour ce qu'elles sont? C'est de vivre en prison. Car être quelque part contre son gré, c'est être en prison. »

On ne m'a pas mis dans un couloir puant qui sépare l'Eden primitif du paradis des prophéties. Je suis dans ce monde, qui est simplement le monde, ici et maintenant. Mon affaire est de le comprendre et de l'aménager, afin que l'existence y soit la plus intéressante et la moins tragique possible.

Cette façon de voir assigne à la politique un rôle réduit. Elle la dépouille de sa religiosité. Elle oppose à ses volontés de puissance ma volonté de présence.

★
★ ★

Hegel, Auguste Comte, Marx, ont appliqué le messianisme à l'histoire. Grand merci! Le messianisme historique est promoteur de charniers, parce qu'il est la justification du tyran moderne.

Si le monde n'est que le sale brouillon de la cité parfaite, je peux effectivement le traiter en brouillon : gommer, raturer, faire des taches, froisser, recommencer. Un brouillon ne se travaille jamais assez, dit l'artiste. Staline travailla le peuple russe comme brouillon de la société sans classes. Hitler travailla les races, comme brouillon de l'Aryen sublime.

Certes, mon non-messianisme est prosaïque. Le messianisme est poétique. Eh bien, je n'aime pas le poétique qui fait écrire à Ewers le *Horst Wessel Lied*, et au jeune Aragon retour d'U.R.S.S., ces vers enivrés :

> *L'éclat des fusillades ajoute au paysage*
> *Une gaieté jusqu'alors inconnue.*
> *Ce sont des ingénieurs et des médecins*
> *qu'on exécute* [1].
>
> (Front rouge, 1930.)

Longtemps, l'humanité a vécu hors de toute conception messianique de l'histoire. Le monde archaï-

---

1. « Ce que l'Almanach des Muses aura fourni d'agents à la Terreur est incroyable », remarquait déjà Chateaubriand.

que se passait d'idées sur la dynamique de l'histoire. L'Inde ignora l'histoire. La pensée antique ne s'est jamais posé la question d'un projet, d'un sens, d'une finalité de l'histoire.

Après tout, il se peut que l'Histoire, telle que nous l'entendons depuis Hegel et Marx, ne soit qu'un moment de l'histoire des hérésies.

Quand nous comprendrons cela, ce sera une révolution culturelle. C'est la révolution culturelle que je souhaite.

*
* *

Les Pères-Messies des peuples déclarent que, par eux, la perfection régnera dans les siècles futurs. Hitler bâtit pour mille ans. Lénine apportera le bonheur aux lointaines générations. Mais Hitler et Lénine n'ont travaillé qu'à court terme. Le surhomme du nazisme, le camarade en or du communisme, sont vite retombés dans des manières d'être non hitlériennes et non léninistes. Je ne m'en désole pas. Je n'y vois pas le sinistre poids des choses, mais la force du vivant. C'est l'humain très humain qui voit loin. Il substitue à l'image inventée par les chefs, une nature qui dure plus que les chefs. Ce n'est pas de l'inertie. C'est de l'instinct d'éternité.

Je crois qu'il y a, dans l'homme, un attachement inné à des valeurs non politiques, qui répond aux conditions de survie de l'humanité.

L'idéologue n'est jamais qu'à court terme. Nos réalités profondes le rejettent. Le long terme est

dans le stable de notre nature, que ce diabolique
veut changer. Je dis sciemment diabolique. C'est une
erreur de croire que le Diable veut mettre du désordre
à la place de l'ordre. Il veut mettre un autre ordre.

*
* *

Je me souviens d'une conversation avec Albert
Camus, dans la matinée du 25 juillet 1946. En ce
temps-là, les intellectuels militaient contre la bombe
atomique. J'en étais. Einstein nous avait envoyé un
télégramme angoissé. Ce temps est passé.

Nos supplices furent des bulles dans le vent, et
la puissance de guerre atomique a progressé. Mais
les penseurs n'y pensent plus[1]. L'important est la
qualité de la vie, sauver les truites et la verdure.

Premièrement, nous avons fini par admettre que
la bombe garantit la paix. Nous n'aimions pas cette
idée en 1946. Elle ne nous semblait pas morale. La
paix par la crainte n'est pas digne des cœurs purs.
Mais les peuples, qui sont plus réalistes, se conten-
tent très bien d'une paix immorale.

Deuxièmement, tout se passe comme si l'inconscient collectif n'avait pas enregistré une menace de
catastrophe. Les rats fuient la cale s'ils subodorent
un naufrage. Les médiums humains sont tout occupés
de flamants roses, d'arbres, d'eau pure et de prolon-

---

1. Les débats pour ou contre la bombe atomique française, assez vifs dans l'été 1973, n'ont pas amené beaucoup
de réflexions sur le péril atomique en général, il ne s'agissait
que de politique intérieure.

ger leur existence, signe que le ressac du futur, s'il les atteint, ne leur parle pas d'apocalypse.

Troisièmement, l'idée de fin du monde ne parvient pas à nous intéresser. A mon dernier soupir, le monde s'éteindra avec moi. Que je meure en même temps que vous, ne changera rien au fait. La fin du monde s'est déjà produite des milliards de fois. Une fois de plus, et tous ensemble, ce n'est qu'une fois de plus.

Quatrièmement, peut-être chérissons-nous en secret cette formidable menace, parce qu'elle nous sert à compenser les angoisses de notre mort individuelle?

Cinquièmement, je me demande pourquoi les socio-psychologues, si empressés à donner leur avis sur tout, n'étudient pas ces questions de fond.

★
★ ★

Dans ce matin de l'été 46, nous trouvions que Sartre avait une singulière position. Il venait d'écrire : « Il faut être contre la bombe, parce qu'elle est contre l'Histoire. » Autrement dit : supprimez la bombe, car l'idée de fin du monde m'empêcherait de croire que l'Histoire a un sens. (Khrouchtchev devait dire plus tard, imprudemment : « La bombe ignore la lutte des classes. »). Nous pensions : il faut être contre la bombe, parce qu'elle menace la vie. Ce n'était pas l'essentiel pour Sartre. La vraie méchanceté de la bombe, c'était de rendre la prophétie marxiste incertaine.

Camus me dit : « J'attends toujours que les marxistes insèrent la bombe atomique (la possibilité d'une fin de l'histoire) dans leur dialectique de l'histoire. Ils en sont bien empêchés. »

De fait, Sartre, comme beaucoup, décida par la suite de faire comme si le problème ne se posait pas. L'idéologie étant le vrai, et la bombe le faux, le vrai chasserait le faux. Il oublia l'atome et continua de marcher en espadrilles, des bouquins sous le bras, dans le sens de l'histoire.

Camus, lui, se livrait à une révision. Tout révolutionarisme, disait-il, se fonde sur l'idée d'une évolution ascendante, et sur la certitude que l'histoire incarne cette évolution. Mais si l'histoire peut venir à nous manquer?

Si l'histoire cesse d'être sûre, elle cesse d'être une valeur supérieure et de contenir une promesse. Je ne peux plus miser sur sa finalité. Je ne peux plus justifier des sacrifices au futur. Je cesse de croire qu'elle possède un ressort, remonté de droite à gauche, qui fera chanter les lendemains.

Nous évoquions le journal *Combat,* qu'il avait contribué à fonder (et dont je devais être, quatre ans plus tard, le rédacteur en chef). Le sous-titre était : « De la Résistance à la Révolution ».

— Il faudrait changer cela, dit-il. Mais qui oserait? Il faudrait écrire : De la Révolution manquée à la Résistance nécessaire.

— Résistance contre quoi?

— Contre le messianisme révolutionnaire.

Il poursuivit :

— L'avenir a cessé d'être ce qu'il était : il n'est

plus sûr. Ce monde n'est plus, de façon certaine, le
projet d'un monde meilleur. Et aucune révolution
idéaliste, nulle part, n'est possible. Tout est dépendance d'une géopolitique atomique. Saint-Just devrait
aujourd'hui soumettre son texte à Washington et à
Moscou. Il en reviendrait avec de mauvaises notes
et l'ordre de rester tranquille. Notre seule certitude
est un présent précaire. Ce présent vaut ce qu'il vaut.
Du moins, soyons présents au présent. Protégeons-le.
Arrangeons-le, avec prudence, pragmatisme, modes-
tie. Oh! bien entendu, quand on a été nourri de révolutionarisme, cette vision semble plate. On a tendance à penser que les arrangements moyens ne va-
lent rien. Mais rien ne vaut la vie. C'est la leçon,
amère, mais sage, de $E = mc^2$. Nous devons en finir
avec l'histoire comme religion. Est-ce un tel malheur?
La pensée méditerranéenne n'a jamais cru sérieu-
sement à l'histoire. Eh bien, ranimons cette pensée.
Mais est-elle si éteinte? Ne demeure-t-elle pas au fond
de l'homme éternel? Elle seule nous aidera. C'est la
pensée solaire, qui conjugue le bonheur au présent.
   Tels furent les propos de Camus.

   Les antiques ne croyaient pas à l'histoire. Ils ne
misaient pas sur un futur. D'autres lois que les nôtres
régissent notre destin. Les dieux ont des humeurs
qui échappent à notre entendement. Séjournons avec
courage et intelligence sous ces puissances impré-
visibles.

Quand je survole la frontière de l'Alaska, je sais que Jupiter peut avoir un infarctus. Notre fin flotte dans le ciel sous des ailes d'avions.

Peut-être, un jour, la technostructure américano-russe, décidera-t-elle le désarmement, et une longue paix partout, pour des raisons pratiques : meilleur pour le commerce et l'industrie, plus commode pour des projets d'ingénieurs planétaires. Le mélange de luttes d'empires et de guerres idéologiques, que nous appelons l'histoire, se sera dissout. Avec la bombe, douter de l'histoire. Au-delà de la bombe, fin de l'histoire. De toute façon, en finir avec l'historicisme.

Et puis, élargissons notre regard. Des déluges, des glaciations, des glissements de continents, des bouillonnements du globe, ont déplacé les hommes et leurs images mentales, englouti et ensemencé des civilisations. D'autres événements que les historiques, sur terre et dans le ciel, peuvent changer notre destin. Ce ne sont pas seulement les hommes qui font les hommes. Sommes-nous en lieu stable et clos? L'histoire est-elle fermée sur nous-mêmes?

Ces considérations en requièrent d'autres.

Plus nous le cherchons, plus notre passé recule dans l'inconnu. Au rythme des fouissements, notre ancêtre vieillit d'un million d'années tous les ans. L'histoire des sociétés humaines se révèle également évasive. Lascaux serait le vestige d'une métaphysique élaborée (travaux de Leroy-Gourhan). L'énigme de la civilisation mégalithique n'est pas résolue (enquêtes de Hawkins sur Stonehenge). A peine découvre-t-on un art de cinq mille ans à Sumer, que des fouilles en Turquie (Catal-Hüyük) dégagent douze villes superposées, témoins d'un monde raffiné, la première de neuf mille ans. Notre histoire est plus lointaine, plus complexe, plus mystérieuse, qu'on ne pouvait l'imaginer au siècle dernier.

Je possède le moulage de la plus intrigante des statuettes. La Vénus de Brassempouy (musée de Saint-Germain-en-Laye) tient dans la paume. Le cou est aristocratique, mince, long, d'une courbe exquise. L'ovale est pur, la chevelure royalement coiffée. Cette reine a trente-six mille ans.

Que d'incertitudes! Comment prendre pour des explications suffisantes de la destinée humaine l'hégélianisme ou le marxisme? Ou Freud, avec sa tribu initiale?

Je pense que les grandes philosophies politiques, au lieu de globaliser, devraient partager ces énormes incertitudes. La meilleure ne peut être assurée de rendre compte de tout le réel, ni d'exprimer un progrès sur les mondes effacés, ni d'enfanter des résultats à long terme.

Que le passé soit mystérieux, et la fin possible, les religions le disaient. Mais leur monde meilleur n'était pas ici-bas. Leur messianisme était céleste.

Hegel rejette Dieu et justifie le monde par l'esprit, sans préciser. Marx rejette ce vague esprit, et entreprend la justification par la lutte de classes. La révélation, qui venait du ciel, vient de l'histoire, et, plus précisément, du régime de la propriété.

Le positivisme d'Auguste Comte est aussi un messianisme. Il y a une marche objective de l'histoire. Avec l' « âge scientifique », tous les rouages de la mécanique humaine seront découverts, et l'histoire trouvera ainsi son assomption. Teilhard prend le même train, en faisant un signe de croix. Il transfère l'immortalité individuelle dans une immortalité collective au point Oméga fixé par l'évolution.

Quand on a remplacé le ciel par une finalité de l'histoire, on a changé de croyance. A-t-on progressé en raison?

On sacrifiait à l'au-delà. Les messianismes historiques, qui sont des théodicées laïcisées, enjoignent de sacrifier au but radieux. Beaucoup de nouvelles idées, dit Chesterton, ne sont que de très vieilles idées mises à une autre place.

*
* *

Je crois qu'il est possible de penser, d'agir et d'être heureux en dehors d'une histoire sainte. Nos arrière-grands-pères, républicains, socialistes français, fleur bleue dans le drapeau rouge, invoquaient la vertu, non un devenir historique théologal. Ils chérissaient un projet. Ils souhaitaient le réaliser, le trouvant bon selon le cœur et la raison. Ils n'éprouvaient pas le besoin de le faire sanctifier par une destination supérieure de l'histoire et de l'évolution.

Et enfin, je crois ceci :

Les idéologues prêtent un sens à l'histoire. Mais l'histoire, qui n'est en réalité que l'histoire des volontés et des désirs humains, impose-t-elle pour autant un sens aux hommes? Et si, parfois, elle paraît nous proposer une direction, je ne vois pas du tout pourquoi nous ne pourrions lui en assigner une autre. C'est l'affaire de notre libre arbitre et de notre volonté.

Seulement, quel homme, en son particulier, se croit aujourd'hui doué d'un libre arbitre suprême et d'une volonté autonome? Tous ces particuliers défaits font les masses conduites. L'idéologue nous dit : on va là. Le problème est de savoir *qui* y va.

Une galerie de portraits des agitateurs de masses, depuis soixante ans, montre des visages de plus en plus lourds, vulgaires, hypocrites, inquiétants. L'évidence crie. Un enfant ne s'y tromperait pas. Mais peu importe. Si l'homme a cessé d'exister, comme dit le pouvoir culturel, il est normal que le pouvoir appartienne à des figures de la décomposition. Des masses sans personne n'ont pas d'yeux. Le mort ne voit pas le vautour.

★
★ ★

Je crois au progrès. Ses avantages sont contestés par des littéraires irresponsables. La révolution scientifique, seule, peut prolonger la vie, apaiser la faim, faire que les enfants survivent et deviennent des adultes forts. S'en désintéresser est du snobisme. Le littéraire est un pessimiste. Le savant est un optimiste. On disait à Rutherford : « Vous êtes toujours au sommet de la vague. » Rutherford répondit noblement : « J'ai fait la vague. » Mais les intellectuels littéraires, pendant qu'on ne les regardait pas, ont pris l'habitude de se nommer intellectuels comme s'il n'y en avait pas d'autres.

Cependant, les avantages du progrès sont reconnus par les hommes ordinaires et réclamés par les sous-développés. Je laisse au néo-cléricalisme l'idée que les pouvoirs sur la matière et l'augmentation des biens terrestres, avilissent. La droite, naguère, déplorait « le matérialisme sordide du peuple ». C'est au tour du gauchisme chrétien. Je suis avec le peuple. La nouvelle prophétie est que Dieu, ou la Nature, rabattront notre orgueil. La barbe! Dieu est en moi, et je suis la Nature. Je crois en une société humaine développée, de plus en plus puissante et riche, dans un monde de plus en plus intéressant. Je reste, sans honte, enfant de Jules Verne.

On me parle de crise de civilisation. Mais oui : une crise de croissance. On me dit que nous sommes en train de découvrir que le monde est mal fait. Grande et originale découverte! D'ailleurs, c'est faux. Nous découvrons qu'il se fait, en se passant des idéologies. Il s'améliore, avec une régularité de machine, dans une complète indifférence aux doctrines. Nous n'en revenons pas. C'est notre étonnement, que nous nommons crise. Un étonnement et une vexation. C'est

très vexant, en effet, quand on aime tant les mots,
les prophètes, les églises.

On me parle d'angoisse. Certainement. Il y a une
angoisse de l'idéologue. Celui qui attend tout de son
utopie, le monde le dégoûte, le monde le trahit. La
réalité est sinistre. Surtout quand elle apporte aux
autres des satisfactions. Sur ces satisfactions, jetons
un voile noir.

L'idéologie sans emploi se trouve une occupation
à décrire ce monde comme un anti-monde.

*
* *

Je pense que le sentiment du monde invivable a
sa source dans les déceptions du croyant marxiste.
Nulle part, son idéal ne s'est incarné. Partout, la
marche du monde a démenti ses dogmes. Il tient à
nous faire partager ses désillusions, pathétiques en
effet.

Quand l'écrivain Pierre Daix [1], militant de toujours,
découvre, en lisant Soljenitsyne, les horreurs du sta-
linisme, il en conclut que « l'histoire s'est fourvoyée ». Quand il considère le sort fait aujourd'hui
à Soljenitsyne et ses frères, il déplore un présent
« post-stalinien ». Mais n'y eut-il pas un préstalinisme.
Et n'était-ce pas le temps où Pierre Daix militait?

---

1. Pierre Daix, *Ce que je sais de Soljenitsyne* (éd. du
Seuil, 1973).

Qu'est-ce que cette entité : l'histoire, qui devait mener les hommes au paradis, et s'est trompée de route? Soljenitsyne n'a pas écrit pour que les Pierre Daix disent : l'histoire s'est trompée, mais : nous nous sommes trompés sur l'histoire. Il a écrit des paroles d'homme, pour recevoir des paroles d'hommes.

A l'Ouest aussi, « l'histoire s'est fourvoyée ». Elle n'a pas obéi aux Lois : paupérisation croissante des masses, aggravation de la lutte des classes, etc. Dire que l'histoire a pris le mauvais chemin, quand les hommes ont pris le leur, c'est refuser la réalité au nom de la foi.

Soljenitsyne répond, du fond de son expérience et de sa solitude : Il n'y a pas de programmation suprême de l'histoire. Il n'y a pas une rationalité supérieure de l'histoire, trahie par l'humanité. Il y a de l'humanité, comme toujours, et de l'histoire au jour le jour.

Je ne méprise pas le déçu qui, malgré tout, veut garder sa croyance. Il a souffert et lutté pour elle. Quand on s'est trompé si longtemps et si sincèrement, le cœur couvre la raison. La croyance est moins aimable, mais l'amour reste. La vertu de fidélité l'emporte sur ce à quoi l'on est fidèle. Le communisme-malgré-tout, chez des purs, est fait de plus de vertu que de communisme.

C'est une situation très difficile. D'autant que cette vie dévote se doit d'être inséparable d'un scientisme. Communisme et « science de l'histoire » sont mariés. Comment concilier une science et les désaveux de l'expérience? Tel est le drame intellectuel [1]. Il n'y a qu'un moyen de le surmonter : que cette « science » abandonne la méthode expérimentale pour devenir une lecture hallucinée de l'actuel. Dans ce monde, le démenti est partout visible. On va donc chercher, non le visible, mais le caché qui serait conforme à la croyance. Il faut absolument trouver de la situation révolutionnaire implicite, sous la situation explicite, qui n'est pas révolutionnaire. Il faut du latent ortho-doxe, sous le manifeste hérétique. On part en quête de « signes ». Mais où trouver de tels « signes »? A la manière des magies : dans le cas exceptionnel. C'est l'exception qui va témoigner de la norme. Un hiatus dans un coin, prouvera l'abîme universel. Ce qui cloche quelque part nous dira que tout boite. On allumera, ici et là, des feux de position de la croyance, et l'on se fera croire que la terre entière rougeoie.

Le fond de l'attitude contestataire est fait des pour-rissements de la foi marxiste. Je ne parle pas des critiques que le bon sens et l'humanisme adressent constamment à l'organisation humaine, pour son bien. Je parle du climat d'insatisfaction pathologique. On nous presse de croire que ce climat tient à une « prise de conscience ». C'est faux. Dénoncer le réel, parce qu'il contredit le mythe, est une peste de l'es-prit. Contracter cette peste n'est pas prendre cons-cience.

1. Cf. L'analyse faite par le professeur Raymond Ruyer : « Les nuisances idéologiques » (éd. Calmann-Lévy, 1972).

Un exemple d'errance pestiférée, avec cagoule et crécelle, m'a été fourni par Roger Garaudy. Dans un article du 13 septembre 1971 *(France-Soir)* il constatait avec douleur, lui aussi, que l'histoire s'est fourvoyée. Nulle nation n'a réalisé le communisme. Mais il misait sur le Japon, Amérique de l'Asie. Et sur l'Espagne, ayant lu le libelle d'un exilé chenu. « Ici commence l'avenir », concluait ce messianique.

Je ne ris pas. Il y a du tragique là-dedans. Détendons-nous.

André Thirion, ex-surréaliste et ex-communiste, siégea, après la guerre, au Conseil municipal de Paris. Il y était responsable des transports publics. La gauche extrême du Conseil (« nourri dans le sérail, j'en connais les détours ») le harcelait de démagogie, réclamant des réductions de tarifs pour mille catégories.

— Messieurs, dit-il, vous oubliez une dramatique urgence : la gratuité du métro pour les paralytiques généraux.

L'injustice de la société apparut dans toute son étendue. L'émotion fut unanime.

Toutefois, avant que l'on passe au vote, Thirion fit remarquer qu'il n'était pas commode, à un paralytique général, de prendre le métro.

★
★ ★

Les déceptions du messianisme révolutionnaire engendrent trois pestilences : la folie rousseauiste, le délire utopique, la rage de détruire.

1. La folie rousseauiste, ou messianisme rétroactif, invente un homme parfait que la société a perverti. Enlevons la société, nous aurons l'homme. Recommençons l'histoire à la chandelle. Et, cette fois, ne perdons pas en route l'Angélique que Dieu fit. On croit tout résoudre en allant élever des chèvres en Lozère. Des paresseux, qui rêvent de vacances perpétuelles, vantent la belle liberté d'Oreille-Percée dans la forêt amazonienne. Mais Oreille-Percée, qui n'a pas lu Rousseau, sait, lui, que survivre, rien que survivre chez lui, est un fichu job à temps complet.

2. Le délire utopique. Utopie signifie : Nulle Part. On parla beaucoup, en 1973, à Paris, d'un livre qui soutenait cette thèse : si l'expansion continue, ce sera l'apocalypse. Cet ouvrage s'intitulait : *l'Utopie ou la Mort*. Imaginons du jamais vécu, ou bien nous cesserons de vivre. Il souleva les cervelles généreuses. Il toucha les grands cœurs.

On s'épargnerait bien des faux problèmes avec un peu d'étymologie. Qu'il faille choisir entre Nulle Part et le Néant, voilà une sacrée sottise.

Quand, sous la pression du messianisme nuageux, la raison s'obscurcit, c'est le déluge des utopies. Or, toute utopie est une négation de la vie, le rêve d'un paradis du non-homme.

Thomas More, père du mot Utopie, imagine les maisons toutes pareilles et des couveuses qui feraient les poussins identiques. Cabet, pour son Icarie, fixe la dimension des placards, la forme des meubles (sans angles) et prévoit un uniforme élastique, qui habillera les gros comme les maigres.

Un pilote de Boeing utopique, veut que l'on hiberne les passagers. Piqués, endormis, raidis, emboîtés : économie de place et de personnel. Le seul utopiste conséquent est Sade, qui fait de l'assassinat le suprême bien.

L'utopiste ne supporte pas que l'histoire soit une galerie de portraits. Il veut du papier peint qui reproduise à l'infini l'image du non-homme modèle. Avec cela, l'histoire devient fixe. Elle entre dans l'éternité. A vrai dire, dans le néant. Car il ne s'agit pas d'installer l'histoire dans l'éternité, mais de faire de l'histoire avec de l'homme éternel. L'utopie sacralise le profane : l'Etat, l'Organisation. Et ce profane le sacré, qui est l'homme.

Le délire utopique s'est emparé de braves gens, qui croient avoir « pris conscience ».

Je discutais avec un chauffeur de taxi des accidents de la route. On analysait les causes. Je dis qu'ils étaient souvent imputables à l'incivisme et à la bêtise. Il me trouva plat. Il fallait chercher plus haut. Il monta. Il invoqua les défauts de la Société. Il condamna le capital. Quand il en fut à dire que l'essentiel était de changer le monde, et de changer les hommes, je l'arrêtai.

— Ecoutez, lui dis-je, si l'on essayait plutôt de continuer à améliorer le monde? Quant aux hommes, je crains qu'ils soient ce qu'ils sont, depuis des millénaires. Comme toujours, le problème est de s'en arranger au mieux en société.

On arrivait. Je tendis mon pourboire. Il le refusa. Il avait l'air remué.

— J'aimerais mieux qu'on aille boire un verre et discuter, dit-il. Je n'avais jamais pensé à ce truc.

— Quel truc?

— Que les hommes sont les hommes.

★
★ ★

Le 23 mars 1973, Henry de Montherlant m'écrivit :

« J'ai été vainqueur dans toute ma vie personnelle parce que je ne misais que sur l'homme. Dans tout ce qui mise sur les hommes, j'ai été vaincu. C'est parce que j'ai cru à l'homme, et non aux hommes, que je ne suis pas déçu. »

Il préparait son testament, qu'il rédigea en mai. Il se tua en septembre, parce que la maladie et l'âge le privaient de jouir et d'écrire, mais pas déçu.

★
★ ★

3. La rage de détruire. C'est une rage messianique. Recommençons à zéro. Pour récupérer le parfait des origines. Pour bâtir l'Utopie. (L'architecture du Nulle Part s'élève dans des déserts.). Pour que l'histoire, qui s'était fourvoyée, retrouve le droit chemin. Avec cela, dans la jeunesse énervée, le souhait d'une catastrophe qui éviterait de subir le plus ardu des exa-

mens de passage : le passage à l'âge adulte. Pour tous,
le rêve d'un moment exalté de l'histoire qui mettrait
le genre humain en vacances.

Là-dessus, relisons Chateaubriand :

« Les moments de crise produisent un redouble-
ment de vie chez les hommes. Dans la société qui se
dissout et se recompose, le choc du passé et de
l'avenir, le mélange des mœurs anciennes et des
mœurs nouvelles, forment une combinaison transitoire qui ne laisse pas un jour d'ennui. Les passions
et les caractères en liberté, se montrent avec une
énergie qu'ils n'ont pas dans la cité bien réglée,
L'infraction des lois, l'affranchissement des devoirs,
des usages et des bienséances, les périls même, ajoutent à l'intérêt du désordre. Le genre humain en
vacances se promène dans la rue, débarrassé de ses
pédagogues, rentré un moment dans l'état de nature,
et ne recommençant à sentir la nécessité d'un frein
social, que lorsqu'il porte le joug des nouveaux tyrans
enfantés par la licence [1]. »

Notre mutation! En mille circonstances et dispo-
sitions d'esprits où nous croyons voir du nouveau
absolu, tout a été vécu déjà, et tout a été dit. Quand
on voit ce qu'éclaire un rien de culture, dans nos
présentes traverses, on comprend que la passion mes-

1. *Mémoires d'Outre-Tombe*, livre V, chap. xiv.

sianique, aveugle et aveuglante, comme toute passion, réclame de l'anticulture.

Toute culture renvoie à de l'éternel, démystifie l'actuel, résiste à sa pression. L'anticulture, qui veut ignorer le passé, ignore aussi qu'à chaque génération l'humanité retombe en enfance, et a besoin de son passé pour ne pas confondre des jeux de maternelle avec des inventions de génie. Du passé faisons table rase, proclame l'anticulture. Abordons en tout-nouveaux un monde tout nouveau. Et, avec la spontanéité de l'ignorance, le nez sur le présent, seulement sur le présent, voyons venir.

N'avoir pour sentiments, que les sentiments de l'époque. Des idées, ne connaître que celles du jour. Croire que tout ce qui s'est fait, dit, pensé, senti jadis, est en désuétude. L'esprit de clocher appliqué à l'époque.

Toute culture véritable témoigne de ce qui, dans l'homme, échappe au temps. Par là, toute culture est religieuse, la religion étant l'organe psychique qui éprouve et exprime le hors-temps.

Le sociologue Jean Cazeneuve remarque : « Une caractéristique de la nouvelle attitude culturelle (qu'il n'est pas loin d'assimiler à de l'anticulture) est d'amplifier le poids de l'actualité [1]. »

Je vois à cela deux causes : le révolutionarisme et le grand commerce de l'information. L'un et l'autre ont intérêt à gonfler l'actuel et à faire vivre les esprits au jour le jour.

1. Article dans *la France-Catholique*, juin 1973.

Grand commerce : voyez vite ce film, vite ce livre, qui vous concernent immédiatement. Hâtez-vous. Rien n'est plus comme hier! Ne soyez pas « dépassés »! Mettez-vous à jour! L'urgence est extrême! On donne, en effet, des soins d'urgence à des passagers.

Les voix des mass-media qui m'invitent d'heure en heure au recyclage culturel : j'entends le fouet du dompteur qui tend le cerceau à Atlas. Atlas renâcle, saute le cerceau, remonte sur un tabouret, et attend, l'œil morne, un autre cerceau.

Révolutionarisme. Pour l'idéologue, un énorme poids d'actualité est une bénédiction. Il est excellent que chaque jour soit historique. Que l'existence ne puisse être intériorisée. Que le militantisme prime tout.

En 1971, je proposai à une actrice très anticulture (Jésus est un hippie, à bas l'orthographe et vivent les Indiens!) le premier rôle dans un film d'amour passion. La belle enfant télégraphia de Californie : « Refuse tourner problèmes individuels quand humanité souffre et société à refaire. »

Exemple comique. Amusante mouche à mots. Cependant, l'anticulture est aussi une antimorale, dans la mesure où l'engagement politique y apparaît comme la valeur suprême. Or, je crois que si l'engagement est parfois une nécessité, il n'est jamais une valeur.

La culture est ce qui allège le poids de l'actualité. La culture établit des comparaisons. Elle renvoie à des constantes. Elle situe l'actualité sur l'océan des événements et sur l'horizon des choses éternelles. Elle invite à un détachement. Elle crée une distance. Ce faisant, elle éclaire la participation. Si je participe, c'est en homme. Non en singe social très agité.

Et enfin, ne pas oublier : le jour qui passe n'est un absolu que pour ceux qui ont quelque chose de périssable à vendre.

*
* *

Trois fois dans la journée, par téléphone, d'une voix oppressée, il avait changé l'heure du rendez-vous. Il faisait orageux. Il arriva en retard. Mon bureau est aux Champs-Elysées. En dépit de la moiteur, les encombrements de fin de journée, moteurs, freins, sifflets, klaxons, obligent à clore les fenêtres. Il ruisselait sous son costume sombre de chef de cabinet. Il avait un dîner. Il fallait aller vite.

— Pourtant, dit-il, je souhaiterais que nous ayons un jour une discussion sur le fond.

— Quel fond?

— Le vrai problème est celui-ci : comment, dans le respect des libertés, concilier les deux grandes religions du monde : le marxisme et le christianisme? Le destin de la France dépend de la réponse que nous saurons donner.

— Etes-vous marxiste?

Non, il ne l'était pas. Juste un peu, dans certains cas, avec réserve.

— Etes-vous chrétien?

D'enfance, oui. Mais des doutes sur la vie éternelle, et tout ça. Pas de prière depuis sa première communion.

C'était bien une conversation aux Champs-Elysées, avec Orphée politicien poursuivant des Ombres.

J'avais en tête des choses concrètes. Plus de justice dans la société libérale. Fondre en dix ans le monde ouvrier dans les classes moyennes. Développer une économie de services. Mon idéal était : que chaque citoyen puisse élargir sa vie privée. Qu'il dispose d'assez de temps et de moyens pour cultiver les passions de son choix : le sexe ou les trains miniatures, le jardinage ou le jeu d'échecs, les voyages ou la peinture, la cuisine ou le zen.

Mon visiteur avait été haché menu depuis le matin par les machines du pouvoir. Avant son dîner en ville, s'épongeant et regardant sa montre, il formait un vaste dessein : réunir, pour le salut des hommes, deux religions qu'il n'avait pas.

Il y avait plus grave. Nos grands-pères, qui savaient ce qu'ils faisaient, s'étaient battus pour séparer l'Etat et l'Eglise. Je redoutais l'ambition de cet énarque : ajouter à l'autorité un air messianique et un semblant de prêtrise. Rien ne lui semblait plus prestigieux, que parer le pouvoir d'idées non vécues. Ce n'était pas assez, pour lui, qu'être vice-ministre en France républicaine. Il rêvait de l'être à Tyrannie-les-deux-Eglises.

— Non, lui dis-je, merci pour la discussion de

fond. Mais vous avez encore trois minutes? Si nous parlions de la question sans fond?

— Que voulez vous dire?

— Ecoutez, Monsieur. Nous ne nous connaissons pas. Les hasards parisiens, marée confuse, nous échouent tous deux dans ce bureau en fin de journée. Qu'avons-nous de commun? Que vous mourrez, moi aussi. Enlevons nos personnages. Soyons seulement deux hommes. Parlons de l'essentiel. Où sont vos moments de plénitude et de sérénité? Quand avez-vous le sentiment heureux, inattaquable, de vous posséder vous-même? Vous arrive-t-il de vous dire, dans une profonde paix : voilà mon unique nécessaire? Je vais parler pour moi. N'en va-t-il pas ainsi pour vous? Ce n'est pas dans le train du monde. C'est à grande distance des idées générales. C'est loin des événements, des appétits, des ambitions, des opinions, de l'histoire. Loin même de nos plus proches amours... Qu'une mystérieuse et supérieure *qualité* réside dans le détachement. Et que, dans notre part d'indifférence, soit notre suprême bien : c'est la question sans fond. Monsieur, il n'y a qu'une philosophie, qu'une morale, qu'une politique qui m'aillent : celles qui tiennent compte de la question sans fond.

Il n'avait plus, en effet, que trois minutes. Il repartit vite, dans le tumulte des Champs-Elysées. Je sus que je ne le reverrais jamais. Je n'étais pas le penseur généraliste attendu. Il m'en voulait surtout de lui avoir dit qu'il mourrait.

*
* *

Un homme a été puissant dans ce monde. Mais
pour que sa gloire touche le cœur des peuples, et
s'y maintienne, ce n'est pas suffisant. Il faut un
désert dans sa vie. Qu'il ait connu, sur la fin, le
retirement, le désintérêt. Que sa puissance soit tom-
bée, qu'il n'en ait pas été atteint, qu'il ait subi
l'exil avec égalité d'âme. Charles Quint au couvent de Yuste. Napoléon sur son rocher. Clemenceau au bord de l'Océan. De Gaulle dans son
manoir froid. Ces exils font le vrai sacre. Ils mettent
de la sainteté sur ces figures. La grandeur de tout
laisser. Le sublime de ne pas attacher. La vertu
d'indifférence.

Les princes d'Aragon se faisaient représenter deux
fois sur leur tombeau. Une fois en armure royale, une
fois en froc de moine. Ils se recommandaient à l'éternité sous cet aspect double, et ils voulaient que leur
demeure funèbre exprime la loi des vies grandement
vécues : qu'il faut être du monde, et n'en pas être.

Le crime de l'anticulture et des idéologies massifi-
catrices : toujours concerné; toujours mobilisé; toujours hors de soi pour cause commune.

Au cours d'un dîner, chez des Dominicains [1], on
parla de littérature fantastique. Un Père me dit :

— Le rêve, le merveilleux, la science-fiction, c'est

1. Au couvent de la Glacière (bien nommé), Paris.

très beau, mais ça détourne de la conscience de classes et des urgences politiques.

Je méprisai d'emblée cet ex-Inquisiteur. On ne m'avait pas convié dans un couvent, mais dans un cachot. Il avait été pour le trône. Il était pour les masses. Il suivait le déplacement du pouvoir, avec un goût égal pour les autodafés. Après la justice royale, la justice populaire. Mais toujours l'injustice pour l'esprit. Je pensai aux princes d'Aragon. Je leur trouvai autrement de chrétienté, eux qui témoignaient, outre-vie, de la nature double de l'homme.

Je reconnais qu'il faut du sens social, et parfois de l'engagement. Mais je veux aussi m'appartenir; et appartenir à Dieu si j'y crois. Je réclame, parmi les droits de l'homme, le droit à l'indifférence quand l'indifférence est nécessaire à mon âme. Engagement pour engagement, je suis prêt à mourir, les armes à la main, si l'on prétend me dénier ce droit.

*
* *

Le bonheur personnel et le bonheur collectif ne coïncident jamais. Le premier dépend d'un choix intime. Le second est l'effet d'un ordre public. Ou bien, il faut parler du bonheur des hommes qui ne sont rien par eux-mêmes et dont la condition sociale est toute la condition. Qu'il y ait de tels hommes, c'est une misère. Encore un regard profond et des conversations, feraient-ils découvrir que de tels hommes n'existent pas, n'ont jamais existé. L'idéologue veut

que cette misère soit le sort commun. Il s'emploie à
nous convaincre que nous n'avons de condition que
sociale. Que notre être entier se confond avec la situation politique. Qu'il n'est d'existence que mobilisée
et militante. Qu'un parti est toute la vie. Cela fait
des hommes qui ne tiennent que comme la balle
de celluloïd tient sur le jet d'eau dans les tirs. Plus
de partisan, plus personne. A la rigueur, la balle peut
changer de jet d'eau. Mais elle chute si l'on coupe
l'eau.

Notre monde étant ce qu'il est, il devient de plus
en plus difficile de persuader le citoyen qu'il n'y
a de vie que sur la brèche. Mon père disait juste : le
but réel du mouvement ouvrier est de conquérir du
privé, par la sécurité, l'aisance et les loisirs. Le reste
est démagogie.

Et, justement, à cause des conquêtes ouvrières,
ceux qui parlent d'un ordre collectif qui contiendrait
tous les bonheurs individuels sont de moins en moins
entendus. Sauf à mentir énormément sur la société,
en la peignant comme un enfer. Un si gros mensonge
ne frappe que les enfants et les faibles. Les autres
haussent les épaules et se taisent. L'agitateur dit
avec mépris : la majorité silencieuse. Il ignore une
vérité de toujours : celui qui sait parle peu.

*
★ ★

Dans la pensée antique, le problème moral ne se
distingue pas du problème du bonheur. Pour le chré-

tien, l'idée de salut interceptait l'idée du bonheur. Je mets les choses au passé. Le prêtre « avancé » transfère l'idée de salut dans le mythe d'une révolution-révélation. N'ayant plus rien d'intérieur à nous dire, il veut nous convaincre que le problème du bonheur ne se sépare pas du problème de la justice. C'est faux. Je ne dis pas que la justice n'est pas souhaitable. Mais c'est faux.

Un Français de mes amis s'en fut trouver Ramana Maharshi. Après quelques jours auprès du sage, il dit :

— J'ai voyagé en Inde avant de venir ici. J'ai vu beaucoup de misères. Comment puis-je me soucier d'être en lotus, de vos paroles, et de contrôler mon souffle? Ne dois-je pas, d'abord, lutter pour la justice?

— Certainement, répondit le Maharshi. Certainement, si c'est vraiment nécessaire à votre équilibre intérieur.

*
* *

En réalité, chaque fois que le christianisme s'efface un peu, l'idée de bonheur resurgit. Au XVIe siècle, avec l'humanisme. Au XVIIIe, avec l'esprit philosophique, Kant lui porte un sale coup, avec l'impératif catégorique, et une morale du devoir qui repousse la morale du bonheur. Marx réagit contre l'idéalisme de Kant (et de Hegel) avec un impératif historique. Les fascismes, avec un impératif de l'empire et de la race.

Ce que je savais à douze ans, je le reconnais

aujourd'hui : le christianisme s'en va. Les impératifs
spartiates (le fascisme, le marxisme) s'en vont aussi.
Le monde des buildings, en dépit de ce que l'on dit,
nous rend le monde d'Epicure. On m'objectera
qu'une jeunesse nous donne le spectacle du contraire :
moitié Jésus, moitié Mao. Mais, justement, ce n'est
qu'un spectacle.

Le vrai est que la modernité nous ramène aux
idées antiques sur le bonheur. Platon, ou le bonheur
par la connaissance. Epicure, ou le plaisir dans
l'équilibre. Les stoïciens, ou la sérénité par la distance.

*
* *

Et enfin, l'indifférence et le temps sont des solu-
tions de l'histoire. Nous n'aimons pas cette vérité,
parce qu'elle rend les passions collectives dérisoires,
et inutiles beaucoup de souffrances.

Dans quelques années, un libéralisme étatisé et un
communisme de l'abondance, ne seront plus distincts.
Des conflits, qui nous paraissent radicaux, se seront
évanouis sans traces. La seule différence sera, probablement, qu'on verra en Russie, le dimanche, plus
de joueurs de foot que de base-ball.

Dennis Gabor, prix Nobel, souhaitant comme moi
que le monde adulte inscrive parmi les droits de
l'homme le droit à l'indifférence, propose qu'on médite sur ceci :

En 1648, la guerre de Trente ans s'est achevée par
lassitude des adversaires. Aux premières étripades,

l'idée d'une Europe moitié protestante, moitié catholique, était insupportable à tous. Aux derniers boulets, chacun admettait que l'Europe allait demeurer ainsi à s'en accommoder. On continua de grogner un peu, de part et d'autre, et il fallut attendre trois siècles pour qu'un pape eût un entretien amical avec le chef d'une église protestante. Mais la tolérance — ou plus simplement l'indifférence — avait depuis longtemps abaissé les passions au-dessous du niveau de la guerre.

L'indifférence n'est pas l'insensibilité. Il faut de l'indifférence. Elle est la bonne conduite des sensibles dans les affaires humaines. « L'indifférence fait les sages et l'insensibilité les monstres » (Diderot, *l'Encyclopédie*). De l'indifférence dissout les passions, et fait l'action raisonnable.

Certes, il faut agir. Mais savoir qu'on n'agit que dans l'éphémère, et avoir de l'éternel dans l'esprit. Savoir aussi que ce qui est éphémère dans l'homme veut du mouvement et des passions, et ce qui est éternel, du repos et de l'indifférence.

★
★ ★

C'est à la fin de sa vie, je crois, que H.G. Wells composa un étonnant petit roman : *le Joueur de croquet*. Il avait été un grand optimiste. Il avait misé sur la réussite de l'intelligence. Maintenant, l'avenir l'inquiétait. Il sentait bouger des démences. La guerre menaçait. Mais il y avait un devoir : résister à l'angoisse. Continuer d'être soi. L'idée d'apocalypse est comme le Diable : elle attend qu'on la prenne au tragique, pour nous dévorer. Quoi qu'il risque d'arriver, se maintenir en sérénité. Un homme qui se maintient, maintient de l'équilibre dans le monde. Il se peut qu'un jour, nous ne puissions rien contre des choses terribles. Faisons en sorte qu'elles ne puissent rien contre nous. Notre gentlemanerie finira par les décourager. Mais s'il faut qu'un jour le navire coule, coulons debout à la barre. L'océan nous revaudra ça. De toute façon, tenir la distance : c'est par-là que passe la dignité.

Telles furent les dernières pensées du vieux H.G. Il écrivit une fable du sang-froid. Ce fut son testament d'homme intelligent, distingué, et énergique :

« L'homme agité poursuivit :

« — Le monde devient de plus en plus terrifiant, accablant, peuplé d'épouvantes! Nous avons réveillé l'homme des cavernes! [...] Attendez un peu, et vous verrez qu'il n'y aura plus sur terre ni tranquillité, ni sécurité, ni confort, ni rien! »

« A un moment donné, n'y tenant plus, je me levai.

« — Je dois vous quitter, lui dis-je. J'ai une partie de croquet à faire avec ma tante à onze heures et demie. »

— « Comment pouvez-vous penser au croquet alors que le monde, le monde entier, va incessamment crouler? » cria l'homme de sa voix intolérable.

« Puis il fit un brusque mouvement, comme s'il eût voulu m'empêcher de me retirer. A cet instant, il

avait absolument l'air de la bête de l'Apocalypse.
Or, j'en avais assez, de ces manières par trop mystiques.

« Je le regardai en face, poliment mais fermement,
et je lui dis sans ambages :

« Ça m'est égal. Le monde peut parfaitement sauter, tomber en poussière. L'âge de pierre peut revenir
quand il voudra. Il s'agit peut-être, comme vous dites,
du crépuscule de la civilisation. J'en suis désolé, mais
je ne peux rien y faire ce matin. J'ai d'autres engagements. Je dois jouer au croquet avec ma tante, à
onze heures et demie, aujourd'hui même. »

★
★ ★

Naturellement, nous sommes solidaires les uns des
autres. Mais d'abord, ne pas confondre solidarité
et mobilisation-sous-prétexte-de-solidarité. Ensuite,
reconnaître que notre sentiment le plus profond est
celui de notre intimité, de notre autonomie. Le sentiment de solidarité joue à la surface. C'est un cerf-
volant. Il lui faut du vent pour monter. Que les événements soient agités; que les nécessités soufflent
fort. Comme au cerf-volant le climat venteux, il faut
au sentiment de solidarité un climat de guerre civile.
Le sentiment de notre intimité, de notre autonomie,
est d'un ordre supérieur, parce qu'il se tient au centre
de notre cœur.

Les manipulateurs disent que l'homme est essentiellement un animal social. C'est dire deux men-

songes. L'homme n'est pas un animal. Et il n'est social que par surcroît.

Il n'est nul homme qui ne porte au fond de soi le désir de ramener à un centre de repos ses pensées errantes dans le siècle.

« Chaque homme renferme en soi un monde à part, étranger aux lois et aux destinées générales des siècles. C'est d'ailleurs une erreur de croire que les révolutions, les accidents renommés, les catastrophes retentissantes, soient les fastes uniques de notre nature [1]. »

Je cite encore Chateaubriand. Certains me répondront : mais il s'agit de paroles d'aristocrate.

S'il s'agissait plutôt de la parole humaine qui sort de toutes les bouches sincères? Ecoutez Soljenitsyne [2] :

« Mais, dites-moi, pensez-vous qu'un ordre social idéal soit possible?

« Vasonofiev jeta à Isaac un regard plein de douceur. Oui, ce regard fixe, inflexible, détaché, pouvait être aussi plein de douceur, comme sa voix. Parlant bas, avec des poses, il dit :

« Il y a quelque chose de plus important et de plus fondamental que l'ordre social, c'est l'ordre intérieur. Il n'y a rien, mais rien qui soit plus précieux pour l'homme que son ordre intérieur. Pas même le bien des générations futures. »

1. *Mémoires d'Outre-Tombe,* livre XV, chap. VI.
2. *Août 14,* Le Seuil, p. 336.

II

Certes, il y a un malaise général. Nous pensons que cela vient de quelque chose de mauvais dans la société et le progrès. La société n'est pas parfaite. Mais elle est la moins sauvage, la plus vivable et la plus ductile de l'histoire connue. La société parfaite n'a existé que dans les rêves légers des utopistes français et les rêves lourds des doctrinaires allemands, quand les débuts de l'ère industrielle provoquèrent des orgies de philosophie sociale. Les fumées de ces orgies ne sont pas encore dissipées. Les têtes qui en demeurent enivrées trouveront mon propos scandaleux. Laissons-les cuver.

Il y a un malaise. Un sentiment oppressant de solidification et de fermeture du monde. Mais, est-ce le monde qui se ferme et se solidifie, ou notre propre esprit? C'est notre propre esprit, sous la pression d'idéologies basses. Nos facultés morales se sclérosent. Notre entendement spririrtuel se bouche. Cette atrophie nous abuse sur les causes du malaise : elle est elle-même la cause. Nous accusons l'extérieur :

les choses, leur organisation. Mais l'infirmité de notre regard est, justement, de ne pouvoir plus se porter que sur l'extérieur. Nous y cherchons le siège d'une fermentation inhumaine. La fermentation s'opère au-dedans de nous. Elle vient de l'idée courte que nous avons de nous-même. Elle est dans le pourrissement de notre présence à notre personne. Nous subodorons de l'abominable. Nous essayons de le débusquer dans le social. Mais la plus grande part de l'abominable est dans notre point de vue sur notre propre existence.

Nous estimons que critiquer le monde est la seule attitude réaliste. Tout est dans la politique et le social. Par « une critique objective des conditions de l'existence » nous résoudrons tout le problème de l'existence. C'est le signe de l'atrophie de l'esprit. Nous croyons que le réalisme consiste à ne rien intérioriser. Mais la réalité est que nul ne peut être amélioré que par ses propres efforts au-dedans de lui-même. Je dois bien le rappeler, quand les religieux eux-mêmes l'oublient.

Que tout en nous soit dépendance de « On », je comprends que tant d'idéologues, chrétiens compris, tiennent à cette psychologie courte. Une autre dévoilerait leur personne comme bluff.

Mon Dominicain rejetait la littérature de l'imaginaire au nom des « urgences du monde réel ». Je manquai d'à-propos, ce soir-là, pour lui répondre. J'aurais dû lui dire ceci :

« Si vous n'entendez plus vos livres sacrés, l'urgent,

pour vous, c'est au contraire de lire de l'imaginaire. Vous y découvrirez que l'esprit libre va naturellement aux réalités essentielles. Un peu de science-fiction, par exemple. Dans un roman de Van Vogt, le héros cherche le Sauveur partout dans la galaxie. Retour d'Odyssée, il le découvre chez lui, dans son miroir, en se regardant. »

Après la publication de ma *Lettre ouverte aux gens heureux,* je fis une tournée de conférences. On me parla beaucoup de l'inhumanité de ce monde. Mais par rapport à quelle humanité? Des maux terribles qu'endurait l'homme. Mais en regard de quel suprême bien? Oh! pour les beaux sentiments, on n'était pas de reste! On adorait la nature, la liberté, la justice. Mais personne n'avait rien à dire sur la morale individuelle. Quelle morale? Fondée sur quoi? Quelles valeurs d'accomplissement personnel? Comment se gouverner soi-même? Avec quelle volonté? Quelle nature de la volonté? Quel guide intérieur? En vue de quelles vertus?

Nul, apparemment, ne songeait à cela. Nul n'avait envisagé qu'il y faille songer. J'entendais des juges. Ils refaisaient le monde au nom de l'Homme. Mais ils n'avaient rien à dire aux hommes sur la conduite de la vie. On verrait après, disaient certains. Après quoi? Après le changement. Quel changement? Le changement en mieux. Quel mieux?

— En tout cas, le pas si pire que maintenant, me répondit un chanteur.

Le juge guitariste exagérait follement les difficultés de l'existence aujourd'hui. Mais il méprisait toute philosophie de la vie quotidienne. Il faisait plus. Si on lui en parlait (j'essayai) il s'enfuyait en hurlant.

Enfin, on m'a beaucoup entretenu de la qualité de la vie. J'y souscris. Vive la qualité de la vie! Mais si nous parlions de la qualité dans l'homme? Personne ne se posait la question : comment être un homme de qualité? Et même, le mot qualité, associé à homme, faisait fasciste.

J'écoutais tous ces gens. Ces questions, qui furent centrales en tout temps, leur étaient aussi étrangères qu'une bande magnétique à un chien.

Le fou étant celui qui a tout perdu, sauf l'usage du raisonnement, ces gens soulevaient parfois des interrogations pertinentes. Ils n'avaient pas toujours tort. Ce monde a besoin d'être surveillé. Seuls les morts n'ont pas besoin de surveillance. Mais je décelais, même derrière leurs propos utiles, une rage obtuse, une fureur informe. Ils ne pouvaient plus souffrir le siècle, ne pouvant plus se souffrir eux-mêmes. Plus ils accusaient « On », plus les taraudait le sentiment de leur propre inexistence. Une vague idée de changement (changer le monde, changer la vie) calmait un peu les douleurs de leur vacuité centrale. Ils n'existaient que par nostalgies, dégoûts, révoltes, utopies.

Parce que sensibles, ils étaient les produits les plus

manifestes d'une immense débâcle générale. Une débâcle qui n'est pas imputable à l'industrie, à l'urbanisme, à la pollution, au régime économique, à rien de ce qui fait l'objet des discours à la tribune, en chaire, partout. Une immense débâcle, en chaque homme, de la conscience de soi, du sentiment de sa liberté et de sa dignité souveraines.

*
* *

Je suis pour plus de justice dans la répartition des sous. D'ailleurs, tous les hommes, de tout temps, ont souhaité une autre répartition des avoirs. Les voleurs aussi.

Mais croire, ou faire croire, que changer de régime économique et social, « change la vie » est une imposture. On change seulement de personnel dans les commissariats.

Cette imposture est facilitée par un réel sentiment d'oppression. Mais c'est l'oppression exercée contre notre être par les philosophies matérielles et basses. Ces philosophies ne sont pas engendrées par l'usine, l'auto, ou les banques, mais par les idéologues et les agents d'influence culturelle. Ce qui tue l'esprit vient de l'esprit. On nous persuade que ce sont les choses qui tuent l'esprit. C'est justement l'art et la manière de chosifier l'esprit.

Nous croyons notre débâcle intérieure réparable par un changement de société, une autre organisation politique. Nous l'attribuons à des faits concrets. Nous

sommes rassurés quand nous la mettons au compte
des classes sociales, des lois, de l'argent, des machines. En réalité, la débâcle est l'effet d'un invisible
travail, derrière le décor des choses, exercé par des
philosophies avilissantes, contre l'être de l'homme.
Nous voulons qu'on change le décor, espérant ainsi
passer d'un drame à une féerie. Il n'y a ni drame, ni
féerie à venir. Le monde est ce qu'il est : à améliorer,
comme toujours, ni tout à fait bon, ni très mauvais.
S'il y a du drame exceptionnel, il est en nous. Le
monde est, mais nous avons cessé d'être. L'invisible
travail a eu pour résultat de réduire les esprits à
cette masse informe, pleine de fureur aveugle, d'où
montent des protestations et des réclamations hal-
lucinées.

Changer l'histoire, pour changer la vie. Que tout
dépend en nous de l'histoire, est une persuasion qui
fait partie de l'invisible travail. Qu'est-ce que l'histoire? C'est, pour une faible partie, ce que font les
hommes exceptionnels quand il se passe quelque
chose, et, pour la plus grande partie, ce que font
les hommes ordinaires quand il ne se passe rien. Voilà
la vérité sur l'histoire, toujours trahie par les idéologues. Et il n'y a qu'un moyen de « changer la vie ».
Ce n'est pas que notre vie ordinaire soit galvanisée
par un événement. C'est que notre vie ordinaire, par
la conscience spirituelle, cesse d'être vécue ordinaire-
ment.

*
* *

Plus je fréquente les sagesses traditionnelles, plus je m'assure que la philosophie s'est accomplie dès les commencements. Si la leçon de sagesse éternelle ne nous atteint plus, ce n'est pas à cause des connaissances nouvelles, mais des méconnaissances dogmatiques. Ce n'est pas aux formes du monde qu'il faut nous en prendre, mais à de détestables idées sur l'homme, que le scientisme matérialiste véhicule, et que la science ne justifie en rien. Si notre âme se ferme et étouffe, ce n'est pas la faute de l'ingénieur, mais du culturaliste, pas la faute du technicien, mais de l'idéologue. Ce ne sont pas les conditions d'existence dans la modernité qui détruisent notre conscience d'être, c'est la suffocante pression d'une scolastique. En réalité, rien ne nous interdit d'atteindre à la sérénité et à la plénitude dans le monde tel qu'il est, sinon l'atmosphère culturelle. Je peux *être* dans un building, comme sous un olivier. Je m'y trouve également sous le regard de Dieu et de mon guide intérieur.

Qu'est-ce qui empêche Socrate de prendre le métro? Pas le métro, mais les anti-Socrate.

*
* *

Nous tenons le regard bas, non à cause de la bassesse du monde, mais de nos pensées sur nous-mêmes et le monde. L'idée qui domine en nous n'est pas

que l'étoile polaire brille toujours, mais qu'une
meule, autour de notre cou, nous étrangle.

« Les débâcles, écrivait à ce propos D.H. Law-
rence, ne sauvent pas les hommes. La dignité de
l'homme a fui, et seule demeure la créature humaine
effondrée, marmottant : regardez-moi! Je suis encore
vivante! Je mangerais bien un peu de saucisse! Répar-
tissez mieux les saucisses! Faites-nous de la meilleure saucisse! Ce sont les horreurs de la catastrophe
mentale. La lumière et l'intégrité de l'orgueil humain
s'éteignent dans l'âme. Il reste une créature déshu-
manisée, souffrante, incapable à jamais. C'est le
grand danger des débâcles, surtout en des temps d'in-
croyance comme ceux-ci. Les hommes manquent de
foi et du courage de garder leur âme alerte, embra-
sée, entière. Après, il y a une grande combustion de
vie honteuse. »

Une grande combustion de vie honteuse. Voilà
notre état.

Quoi! dira-t-on : la conscience de soi! Le fort sentiment, dans l'homme, de sa liberté et de sa dignité
souveraines! Une question de regard intérieur! Quoi!
Vous faites tout reposer sur cette pointe d'épingle!

Oui, c'est une pointe d'épingle. Oui, je crois que
tout repose sur cette pointe d'épingle.

Dans le chef-d'œuvre de Vermeer de Delft, le
mystère de la construction est que toutes les lignes
convergent sur l'aiguille invisible entre les doigts de
la Dentellière.

*
* *

Changer le monde. Changer la vie. Un autre monde. Un autre homme. Détruire. Révolutionner. Ce messianisme hagard pénètre dans les hommes quand la débâcle les a vidés d'eux-mêmes. Quand il n'y a plus rien, dans l'homme, qui lui permette de croire fermement en son âme, il ne reste pas le rien. Il reste le vide et sa force de succion. Ce n'est pas la justesse des idées messianiques qui agit. On peut prendre ces idées en flagrant délit de divagation, c'est sans effet. Ce n'est pas du tout par son excellente théorique que le messianisme politique s'introduit dans l'homme, c'est par la force de succion du vide intime qui a été préparé.

Le messianisme révolutionnaire ne tire pas sa puissance d'un appel de la vie, mais, au contraire, de la putréfaction des nobles raisons de vivre. C'est un mouvement, bien sûr : la décomposition fait bouger le cadavre.

Le messianisme politique promet tout dans l'avenir. Quand le sentiment des valeurs permanentes a été anéanti dans le cœur de l'homme, les candidats à la tyrannie peuvent impunément pratiquer l'indignité politique de tout promettre.

Un mystique arabe de mes amis fit le pèlerinage à La Mecque. Je lui demandai :

— Qu'est-ce qui vous a frappé le plus?

— De voir des visages d'hommes priant.

Les musulmans s'agenouillent, orientés vers La Mecque, et ainsi, priant Allah, ne se voient que de dos. Mais, parvenus au haut lieu, autour de la Pierre Noire, ils se font face.

Le messianisme politique agenouille aussi les hommes dans une direction. Mais La Mecque n'existe pas. A jamais, ils ne se verront que de dos. La vérité cachée est qu'ils n'ont plus de visage.

*
* *

Je suis de ce monde. Je n'attends pas tout de ce monde. Je suis un citoyen. Mais il y a en moi la pierre d'un autel. Cette pierre n'appartient pas à la cité. Une part de moi n'est pas au siècle, aux choses, aux êtres, à la société, à la politique. Je ne suis pas tout entier de passage. Ma plus haute part est à mon âme. Nul ni rien ne peut l'atteindre. Elle est le divin en moi.

Sans possession de moi-même, sans liberté suprême, déterminé par tout et tous, dans un monde qu'on me dit à refaire, en quête d'une hypothétique humanité, je devrai m'en remettre aux passeurs de la nuit qui portent le fanal du savoir et de l'histoire? Mais non! Abusives sciences de l'homme-mort! Passeurs de la nuit, trafiquants de lumière!

Comment, me dira-t-on, se recommander de la philosophie éternelle dans un monde en si grand changement? Pour prendre conscience du changement, et pouvoir le dominer, il convient de l'examiner d'un point fixe. On s'aperçoit alors qu'il est moins radical qu'on le dit, et que la plupart des pensées de la « mutation » sont des impostures. Comment maintenir une idée de l'homme traditionnelle, alors que nous assistons à une formidable accélération des idées? Du point de vue de la tradition morale et spirituelle, du point de vue des valeurs permanentes, l'accélération des idées sur la nature de l'homme apparaît comme la vie de plus en plus brève d'idées de plus en plus courtes.

On me dira encore que la philosophie éternelle, qui implique de l'inaliénable et de l'infini en moi, l'existence de mon âme, le dépôt du vrai et du bien dans cette âme, l'indépendance souveraine de mon être, est démentie par la science. C'est faux. Elle est repoussée par les idéologies matérialistes et déterministes. Ce n'est pas la même chose. Au reste, la philosophie comme sagesse peut, sans dommage, se détourner de l'homme-selon-la-science. Sa valeur ne dépend pas de l'objet considéré, mais de la qualité de la considération.

On me dira enfin : la philosophie éternelle n'est qu'une fausseté qui a la vie longue. Les sciences humaines, aujourd'hui, révèlent des déterminismes étroits : l'histoire, l'économie, la société, la libido, le groupe, l'évolution, les gènes, le langage, les structures, etc. Eh bien, j'opposerai tranquillement mon faux éternel à ces vérités transitoires. «Un vrai transitoire n'est probablement qu'une satisfaction logique. Un faux éternel est sûrement une vérité humaine [1]. »

1. Cf. : Raymond Ruyer (ouvrage déjà cité).

*
* *

Longtemps, l'humanité s'est opposée à l'histoire.
Elle opposait au temps profane le temps sacré. Elle
érigeait contre la mouvance (des faits, des choses, des
esprits) des lieux d'intemporel, des espaces préservés,
des monuments, des temples, des signaux de la constance, des réservoirs du sentiment de l'infini et de
l'éternel. Tout événement avait, dans la conscience
collective, son modèle hors temps, son archétype my-
thologique ou théologique. Le travail lui-même avait
un sens religieux fixe, et exprimait une valeur transcendante.

Je ne suis pas nostalgique. Je crois que le progrès
technique et scientifique prépare un monde où la
pression de l'histoire va baisser, et où les idéologies
historico-messianiques vont se trouver sans emploi,
ce qui, d'ailleurs, explique leur nervosité. Je pense
donc que la conception archaïque de l'homme a-histo-
rique, qui a été refoulée dans l'inconscient, remon-
tera à la conscience. Elle remonte déjà, peu à peu.
On commence par vouloir protéger « l'environnement ». On découvrira qu'il faut aussi protéger le
central. On préserve les espaces naturels. On en viendra à l'espace intérieur. On veut sauver les images
d'éternité dans la nature : forêts, villages, bêtes,
océans, azur. C'est un mouvement concentrique. Il
mènera à l'essentiel : sauver la nature éternelle de
l'homme. Bien entendu, le monde change. Tant

mieux. Je vois comment. Il nous conduit à la nécessité inchangée : une dialectique de l'être comme fixité et du monde comme mouvance.

Les idéologies messianiques promettent de « changer l'homme ». Au comble de l'errance prophétique, il arrivait à Marcuse de dire : la société ne sera « humaine » qu'avec un homme nouveau, délivré. Délivré de quoi? De son humanité? En attendant, il professait que ce monde est un enfer, que la vie n'y vaut pas d'être vécue, et qu'il faut le rédimer par la destruction. Il engendrait des disciples qui nommaient leurs crimes terroristes des « crimes critique ». Il finit par s'en effrayer et par leur dire, comme dans les Pieds Nickelés : « Du calme et de l'orthographe! » Mais on n'assassine pas le réel, sans que jaillisse du sang réel.

La haine de ce qui est, la rage critique, l'inversion des valeurs, la folie d'utopie, tout cela est la purulence des profondes plaies du messianisme judéo-chrétien.

Que dit l'Antiquité? Que dit la philosophie éternelle? Que l'homme parfait existe, ici et maintenant, dans l'homme. Qu'il n'est ni disparu (« le bon sauvage » de Rousseau) ni à venir (le camarade idéal du marxisme-léninisme). Qu'il est la constante, la référence stable. Qu'il est la présence sans date, quels que soient la société et le moment historique. Que notre conscience n'est rien d'autre que le sentiment de ce qui nous en rapproche ou nous en éloigne, dans nos actes et nos pensées. Que l'homme est ceci

et cela, mais essentiellement : le dialogue entre sa
perfection déjà-là, et ses imperfections.

Tout ce qui se fait en fonction d'une humanité à
venir, est illusion ou imposture. On ne fait, pour le
mieux de l'homme et du monde, qu'en fonction du
déjà-là éternel.

*
* *

J'avoue faire partie d'un complot. Celui que, dans
toutes les sociétés, l'homme éternel fomente contre
l'homme historique. Cette résistance fut honorée, jusqu'au siècle dernier. La culture dominante, aujour-
d'hui, la déconsidère. Le messianisme historique et
la pensée matérialiste, veulent régner sans partage.
La résistance au temporel fut l'honneur de l'artiste.
L'écrivain insoumis — ce qu'en tout temps on appela
le poète — n'a plus droit qu'aux deuxièmes classes
dans le train de l'intelligence. Il voyage avec les
misérables « marginaux ».

Abellio, qui est du complot, écrivait que le problème est de cesser de prendre le destin historique
pour un absolu. « La question est de savoir s'il y a
une histoire « objective » ou si, au contraire, l'histoire n'est pas, avant tout, objet de conscience et,
par là, relative à la conscience qui en forme la vision.
Si l'on admet cet aspect relativiste, le problème sera
de savoir et de dire ce qu'est la conscience, avant
de dire ce que doit être l'histoire. »

Encore faudrait-il admettre que la conscience

existe. La culture dominante le nie. L'homme n'est qu'une série de déterminismes, et le déterminisme suprême est l'histoire.

Je crois que la conscience existe. Je crois davantage : que la fonction supérieure de la conscience est de sécréter de l'intemporel : du sans date.

Un autre conjuré, René Alleau, m'écrivait : « Notre programme d'assainissement devrait inscrire, entre autres procédés prophylactiques, l'application à l'histoire d'un nouveau (et très ancien) L.S.D. : Le Sans Date. Intoxiquer le messianisme historique avec L.S.D., me paraît une grande et noble entreprise. Le Sans Date est le plus court chemin vers la liberté de l'esprit. »

Croyant à la conscience, au libre arbitre et à de l'éternel dans l'homme, suis-je, en conséquence, ennemi du peuple et de la justice? Conservateur des eaux et forêts humaines, suis-je, pour autant, conservateur politique et social? L'idéologie marxiste enferme le réfractaire dans ces grossières déterminations. Et l'opinion suit.

Que l'homme ne soit qu'un jeu de causalités strictes, a mené la pensée « avancée » de réduction en réduction, à le décrire comme « un non-être qui se fait des illusions sur son existence ». D'une théodicée de l'homme historique et économique à cette « philosophie de la mort de l'homme ». Pour reprendre une plaisanterie célèbre : Avec le matérialisme philosophique, la pensée s'était avancée jusqu'au bord de l'abîme. Puis elle a fait un grand pas en avant.

Je pense que nous devons revenir aux idées traditionnelles sur l'homme, non parce qu'elles sont anciennes, mais parce qu'elles n'ont pas cessé d'être
ressenties comme justes dans les profondeurs du vécu.
La culture dominante nous impose des idées acca-
blantes sur notre propre nature. Ce n'est pas avec
cela que nous trouverons en nous les ressources pour
résoudre les problèmes du monde : une volonté allègre, une intelligence souple.

Je suis certainement pour des changements : toujours plus d'équité sociale, plus de liberté et de
moyens pour tous. C'est la promesse contenue dans
le progrès technique et scientifique. Mais pour que
cette promesse s'accomplisse, encore faut-il que nous
retrouvions des facultés dynamiques : de l'optimisme
et du pragmatisme.

Je m'oppose au messianisme, parce que, au fond,
tout messianisme implique une conception triste de
l'homme. Nous ne sommes rien : des fautifs, pour le
chrétien, des machines pour le matérialiste, mais
quelqu'un ou quelque chose viendra : le Christ, la
Révolution.

Le Christ a échoué. Quant à l'idée de révolution,
elle est liée, chez Marx, à la croyance en une inspiration salvatrice de la classe ouvrière. Premièrement,
notre civilisation en développement fond la classe
ouvrière dans les classes moyennes. Deuxièmement,
la classe ouvrière n'a aucune sorte d'inspiration particulière. Pas même pacifiste. Je ne l'ai jamais vue
faire grève dans les arsenaux. Et quand elle accède

réellement au pouvoir, comme aux Etats-Unis, elle est foncièrement conformiste, conservatrice, droitière.

Le messianique a une foi, un dogme. Il a une espérance, mais qui dépend de la réalisation d'une prophétie.

Qu'est-ce que j'appelle un optimiste? C'est un homme qui n'a pas une espérance, mais quelques espoirs. L'espérance s'accroche à une idéologie. Les espoirs marchent tout seuls. Ils misent seulement sur de la confiance en soi, du libre arbitre, du courage, et de l'esprit adaptable.

Le messianique a le plus urgent besoin de convertir l'humanité. L'homme selon mon cœur veut convertir autrui à l'idée qu'aucune doctrine ne détient la vérité; qu'il n'y a pas *un* avenir, mais beaucoup d'éventualités; pas *une* histoire, mais quantité de possibilités, et que l'on finira par choisir la meilleure, pour peu qu'on le veuille.

Le messianique veut contraindre le réel à justifier sa doctrine, et recommence sans cesse les mêmes erreurs têtues. Il est persuadé que si ça ne marche pas, ce n'est pas sa vérité qui a tort, mais le monde. Si ça ne marche pas, recommençons, ça marchera une autre fois.

L'homme qui n'a pas une espérance, mais des espoirs, dit : Si ça ne marche pas, faisons autre chose.

Mes propos seraient-ils « bourgeois »? Je crois que, dans vingt ans, les historiens s'effareront de l'abus que nous faisons de ce mot. Le véritable conflit

n'est pas entre le bourgeois et le révolutionnaire.
Tout le monde est bourgeois, et la révolution n'est
qu'un mythe, un pur enchantement verbal. Le conflit,
comme l'avait bien vu John Campbell, est entre les
hommes que le temps rend toujours plus dogmatiques, et ceux que le temps rend toujours plus adap-
tables au réel. Campbell parlait des « chrono-dur-
cissables » et des « chrono-plastiques ». Disons les
messianiques et les pragmatiques. Ceux qui se dur-
cissent autour de leur vide central, dans la furieuse
attente de la réalisation d'une prophétie, qui les fera
enfin exister. Ils mourront dupes, comme d'habitude.
Ceux qui ont de l'homme éternel au centre, et de
l'intelligence ductile autour, pour manier leur époque, échoueront sans doute à faire un paradis terrestre, comme d'habitude. Mais ils auront vécu.

FIN

I

Rire, faire confiance à la vie, au monde, est le naturel de l'homme. Le pessimiste est déporté hors de l'humain par l'idéologie et la littérature.

Presque tous les manipulateurs de l'opinion sont des littéraires. Comme tels, ils suivent une tradition. C'est, depuis le romantisme apparu au XVIIIᵉ siècle, une tradition qui privilégie le sentiment tragique de la vie, la douleur et l'échec. Elle s'est aggravée avec les défaites historiques de la France, Waterloo, 1870, 1940, et le constant désaveu apporté aux révolutions par la force des choses.

Cette tradition littéraire est hostile au progrès technique. Le progrès entraîne des changements de vie où elle n'a point part, développe des appétits et des satisfactions qui rendent les hommes moins accessibles au prêche de l'angoisse de vivre, de la difficulté d'être. Le littéraire idéologue éprouve l'inquiétude du sous-emploi. Comment lutter ? En enseignant une idéologie du monde invivable.

Cette tradition littéraire se donne pour la seule et

l'unique. Il est donc utile de rappeler que nous avons une autre tradition, qui nous vient de l'héritage gréco-latin. Les Humanités parlent d'une humanité plus allègre. Cette autre tradition aime la sagesse. Elle donne la prééminence à l'égalité d'âme. Elle célèbre les vertus et l'intelligence du bonheur.

De Montaigne :

« Le bonheur ne se perçoit pas sans esprit et sans vigueur. »

De Saint-Simon :

« C'est un grand bonheur que de savoir goûter celui qu'on a. »

De Valéry :

« Que vous soyez heureux, il ne vous manque que de vous en rendre compte. »

De Camus :

« Pourquoi nierais-je la joie de vivre? Il n'y a pas de honte à être heureux. Mais aujourd'hui l'imbécile est roi, et j'appelle imbécile celui qui a honte du bonheur qu'il a. »

★
★ ★

Qu'il faille être utile au bonheur d'autrui, les meilleurs écrivains du XVIIIe siècle le pensaient. Ils dédiaient leur talent au bonheur. Ils se voulaient « philosophes bienfaisants ».

Mais ce XVIIIe, qui esquisse par plus d'un trait notre siècle, avait ses sinistrés mentaux. La France n'est plus la première puissance du monde. L'ère industrielle naît. Le pouvoir bourgeois s'étend. Pour certains, la vie perd son sens. Les aristocrates se dégradent. Le désordre, qui a besoin de leurs vices, aura demain besoin de leurs têtes. Le chic est de se lamenter. Les maladies de l'âme apparaissent en littérature.

Loaisel de Tréogate compose les *Soirées de Mélancolie*. Ses personnages ont la conscience oppressée. « Je ne puis respirer sous un ciel de fer. »

Maupertuis invente l'expression : « le mal de vivre ». Heureusement, nous avons la gravelle, les rages de dents, la pneumonie. « Les maladies sont un secours; elles tuent la vie dans le malade, ce qui guérit du mal de vivre. » Heureusement, nous avons aussi les drogues : « L'opium, le vin, le tabac, sont le contrepoison de la vie. »

Dorat, peignant *le Malheureux imaginaire*, peint notre époque :

« Il ne faut que reposer un œil attentif sur la société, pour y voir régner ce tourment, cette agitation, ce délire inquiet d'une imagination malade qui se crée des fantômes, ne croit à aucun des biens dont elle jouit, réalise tous les maux qu'elle prévoit, s'agite douloureusement au sein des délices et s'empoisonne aux sources mêmes d'où l'antidote devrait partir. »

Voltaire fait dire à Martin, dans *Candide* : nous n'avons le choix qu'entre « la léthargie de l'ennui » et « les convulsions de l'inquiétude ». Mais, personnellement, il n'en croit pas un mot. Comme tous les grands esprits de son temps, il conspue cette sinistrose.

Il la conspue chez les snobs. A Madame du Deffand, qui tient à honneur de désespérer, qui se navre d'être venue au monde, en qui « le dégoût d'exister n'atténue pas, hélas, l'angoisse de mourir », il répond :

« Je ne saurais souffrir que vous me disiez que plus on pense, plus on est malheureux. Cela est vrai pour ceux qui pensent mal. »

Il la conspue chez les Jansénistes. Pascal, avec sa rage d'absolu, lui tape sur les nerfs :

« Pourquoi nous faire horreur de notre être? Notre existence n'est pas si malheureuse qu'on veut nous le faire accroire. Regarder l'univers comme un cachot, et tous les hommes comme des criminels qu'on va exécuter, est l'idée d'un fanatique. »

Il pense qu'une vraie intelligence exhale le bonheur, comme la rose le parfum. Il dit : « La grande affaire qu'on doive avoir, c'est de vivre heureux » (Lettre à Mme la Présidente de Bernière).

Dans les soupers, à table jusqu'au menton, les gens du monde et de lettres, maudissaient la vie. Ducis à sa sœur : « Ah! ma chère Agathe, nous ne vivons qu'une minute, et dans cette minute que de secondes affreuses! Hier, chez Monsieur Thomas, nous avons bien gémi de notre si pénible condition! »

Mirabeau répond à cette nausée :

« Cherchez d'abord à corriger votre humeur, et blanchissez vos idées. »

Le prince de Ligne, très supérieur à son milieu, déplore « qu'il n'y ait point d'écoles du bonheur ».

Trublet dit : « Le plus important de tous les livres, serait celui qui traiterait solidement du grand art d'être heureux » (*Essais*, 1768).

Rochefort compose une *Histoire critique des opinions des anciens et des philosophes sur le bonheur*. Il écrit dans sa préface : « Quelle obligation n'aurais-je pas à l'écrivain, qui, nous montrant que nos faux jugements font presque tout notre malheur, nous apprendrait l'art d'être heureux! » (1778).

Montesquieu : « Il faudrait convaincre les hommes du bonheur qu'ils ignorent, lors même qu'ils en jouissent. »

De fait, au siècle des Lumières, la tendance de l'intelligence est au bonheur. J'ai compté plus de cinquante traités sur « le grand art de vivre », entre 1750 et 1780. Certes, la société était à réformer. Mais l'intelligence l'eût-elle emporté, la France eût fait l'économie de la Terreur.

Ce sont les oisifs qui désespèrent, pourrissent l'esprit du temps, lui donnent le goût de l'abîme. De nos jours, ce sont les nouveaux aristocrates qui répandent la sinistrose, gens de la classe culturaliste entretenue par la plus-value de la production collective, réclamant toujours plus d'audience et de privilège d'une société qui leur donne des rentes et qu'ils déclarent invivable, abusant d'elle et la décourageant, et se donnant pour exemplaires alors même qu'ils se

tiennent à égale distance de l'utilité et de la signification.

Les philosophes du xviiie siècle, retournant aux
Grecs, assurent que le bonheur peut être de tous les
âges, de toutes les circonstances, de toutes les conditions. Bien entendu, quand on parle de « toutes les
conditions », c'est qu'on accepte l'inégalité sociale.
Elle était considérable à l'époque. Elle ne gênait ni
Voltaire, ni d'Holbach, qui aimaient la justice, nullement l'égalité. Des gens plus généreux, comme Diderot ou Helvétius, découvrent la misère du peuple
ouvrier, qui n'a pas les teintes roses de la bergerie
rustique. Mais ils misent sur le développement d'une
société industrielle : bourgeoisie productrice contre
aristocratie, pour faire progresser l'égalité. L'Encyclopédie est imprégnée de cet esprit.

La conception de la vie heureuse, chez eux, est
liée à l'idée du bonheur bourgeois. Mais l'idée du
bonheur bourgeois dépasse les limites de la classe
bourgeoise. Elle ne se constitue pas autour de la
défense d'une classe [1]. Elle se fonde sur la sagesse
antique : le libre gouvernement de soi; des vertus
dans le privé et dans le monde; l'écoute du guide intérieur; un certain détachement au sein de l'action; la
recherche d'un ordre intime; l'équilibre et le repos
de l'âme. Quel est le meilleur cadre d'une telle sagesse? C'est, pensent-ils avec raison, la condition

1. Cf. Robert Mauzi, *l'Idée du bonheur au XVIIIe siècle*,
éd. Armand Colin, 1969.

moyenne. Ni le dénuement, ni la fortune; ni la misère, ni les privilèges. Il faut chercher le paradis de l'homme moyen. Il se trouve quand :

— les conditions d'une existence matérielle décente sont données au plus grand nombre, et honorées en tant que telles;

— la marge d'aventure personnelle, en fonction du mérite, est respectée;

— la véritable aristocratie est dans le cœur.

Ils emploient un mot, chargé pour eux de noblesse philosophique et d'insolence à l'égard des aristocrates : la médiocrité. Ils souhaitent une médiocrité générale.

Mably : « C'est dans l'état de médiocrité qu'on peut se former à la philosophie. »

Mme Thiroux d'Arçonville : « Heureuse médiocrité! C'est vous seule qui pouvez faire le bonheur du genre humain! »

Montesquieu : « La médiocrité est le garde-fou. »

Helvetius dit qu'il faut en finir avec « deux classes de citoyens : une qui manque du nécessaire, l'autre qui regorge du superflu ». Qu'il faut fondre tout cela dans une classe moyenne souple. « Un revenu de base suffisant pour tous, écrit de Raymondis, qui fournisse aux besoins et aux commodités les plus essentielles. »

C'est exactement la voie que suivent les démocraties libérales modernes dans leur développement : un mixte non idéologique d'économie libre et d'étatisme, qui maintient les libertés essentielles, préserve le besoin de jeu et d'aventure personnels sans quoi le

citoyen étouffe, va en réduisant les inégalités et
hausse le niveau de vie général.

Les aristocrates se gaussent de cet idéal de « médiocrité ». Ils prennent à la lettre un mot qui contient
l'esprit du bonheur. Ainsi font aujourd'hui nos culturalistes avec le mot « bourgeois ». Ils vilipendent
le bourgeoisisme des classes moyennes. Ils déplorent
l'embourgeoisement ouvrier. Ils redoutent la fusion
progressive du prolétariat dans ces classes moyennes.
Ils réclament contre la « médiocrité » le feu et le
sang des révolutions, une révolte de l'absolu, qui les
porteraient à la grande prêtrise messianique qu'ils
revendiquent, comme l'aristocratie demandait de
l'inégalité pour se conforter dans son droit divin.
L'aristocrate finit par dire : « Plutôt Coblentz que
la médiocrité. » Le culturaliste finit par dire : « Plutôt Cuba, plutôt la Chine. »

Diderot, Helvétius et leurs amis voyaient juste. Ils
imaginaient dans l'avenir le succès du progrès technique et des démocraties libérales. Ils s'insurgeaient
contre l'église qui invitait les pauvres « à dépasser
le dénuement par l'idée de salut ». Ils se fussent insur-
gés présentement contre cette autre idée d'Eglise :
sacrifier l'aisance matérielle et les libertés acquises,
au nom du salut par une révolution-révélation.

Seulement, ils pensaient que la grande affaire est
que l'homme moyen ne perde pas dans l'aisance
l'ossature morale qu'il avait eue dans la misère. Helvétius dit avec génie qu'une meilleure vie pour tous
exige une réforme de l'éducation. On avait enseigné

la vertu dans le dénuement. Il faut l'enseigner dans
la jouissance des biens terrestres. Associer dans « la
conscience enfantine l'idée de richesse à celle du bonheur », c'est-à-dire à l'idée du sage gouvernement de
soi. Il estime que le vrai problème d'une société de
libertés et d'abondance (permissive et de consomma-
tion, comme nous disons) est l'éducation. Que les
mérites d'une « médiocrité » générale (un plus haut
niveau de vie pour tous) se doivent équilibrer par une
éducation de l'aristocratie intime. Que l'hédonisme
et la dignité morale sont conciliables. Les effets de
la mauvaise éducation sont plus visibles et fâcheux
dans une société libre que dans une société coercitive.
Il redoutait pour l'homme moyen, passant du dénuement à la jouissance des biens, une mentalité de
nouveau riche : le laxisme. Il estimait que plus augmente la quantité des jouissances, plus il faut que
l'éducation produise de la qualité dans l'homme.
Qu'il faut demander la matière première de l'éducation aux valeurs permanentes et à la sagesse antique.
Et qu'une philosophie sociale de progrès, si elle veut
le bonheur, prend sa morale dans la philosophie
éternelle.

Considérant les sociétés libérales modernes, non
sous les traits abominables que leur prête la sinistrose, mais comme elles s'orientent sous nos yeux,
ces philosophes eussent accusés nos culturalistes,
contestataires radicaux, destructeurs des valeurs, de
s'opposer au bien-être général en sabotant, avec l'éducation, l'âme du bonheur. Comme ils accusaient la

haute aristocratie inquiète et décadente, de barrer le chemin aux satisfactions moyennes en en décourageant le monde industrieux par le spectacle public de ses écœurements particuliers, de son anarchie et de ses perversions vaniteuses.

Pour les esprits « romains » du XVIIe siècle, un art de vivre était superflu. Le vrai génie du XVIIIe siècle le fonde. Au XIXe siècle, la bourgeoisie avachie lui retire ses vertus et, dans les âmes amères et fatiguées que l'histoire vient de faire souffrir beaucoup, le bonheur n'est plus que chimère. Je crois que notre époque redécouvre l'idée de bonheur. Du moins quand elle chasse le discours idéologique, le voile des mots, ce nuage de mouches bourdonnant sur la réalité, qui fait le bruit du malheur sur les bonheurs qu'on a.

L'idée de bonheur saute un siècle, comme on dit que l'hérédité du génie saute une génération.

*
* *

Certes, le monde entier n'a pas atteint le haut niveau de vie que nous connaissons. Mais le sort des pays retardés est lié à l'expansion des puissances modernes. Du moins, je le crois. L'intelligence pragmatique en est persuadée sur les sept continents.

Les écrivains qui récusent le bonheur invoquent l'inégalité planétaire. C'est plus prétexte que raison. D'ailleurs, quand ils méprisent les biens dont la modernité dispose, et auxquels les pauvres du Tiers-

Monde aspirent légitimement, ces pauvres voient dans leur dégoût littéraire une sophistication de nantis. « Je ne suis pas venu pour entendre parler d'air pur chez vous, mais de vie industrielle chez moi », disait un délégué de l'Inde à nos poètes anti-progrès.

En vérité, la raison des Ducis et des Maupertuis d'aujourd'hui, passe la géo-politique. Elle est plus fondamentale. Elle est : la mode. Ils nient le bonheur parce que c'est la mode. Les consciences qui s'endeuillent parce que c'est la mode, sont des consciences damnées [1].

Cette négation pénètre la vie intime, la rend veule et menteuse. « Le bonheur, c'est trop sucré pour moi », me disait un jeune romancier mou. Il écrivait des livres dans le manoir de sa grand-mère, entre feu de bois et confitures, pour persuader ses contemporains que la vie ne vaut que d'être vomie.

Un autre profite de belles rentes sur la Côte d'Azur, et peint la Riviera comme le dernier cercle de l'enfer.

— Vous avez tout de même bien des bonheurs! lui dis-je, furieux, pensant à ma jeunesse.

— Oh! toujours incomplets!

— Attendez les malheurs, cher confrère. Les malheurs sont toujours complets.

---

1. « Une conscience qui s'endeuille parce que c'est la mode et uniquement parce que c'est la mode est une conscience damnée » (Montherlant).

Je crois, comme les philosophes du xviiie siècle, que le devoir de l'intelligence artiste est de répandre une certaine allégresse de fond. Que l'honneur de l'homme doué d'expression est de réconcilier ses contemporains avec l'ordre du monde, en leur rappelant les vertus de l'enjouement.

Je ne vais pas chercher mes leçons dans l'adolescence. Je ne souhaite pas rajeunir. Mon désir est de vieillir en m'approfondissant. Ce sont les mystères de la joie de vivre, un pied dans la tombe, qui me paraissent les plus grands.

A quatre-vingt-deux ans, Clemenceau se prend d'affection tendre pour la belle Mme Baldensberger. Il lui adresse en six ans, jusqu'à sa mort, sept cents lettres. Elle doit venir. Il l'attend dans sa petite maison de Vendée. Il nettoie son jardin. Il se lève à cinq heures pour lui écrire. Il regarde l'Océan et ses rhododendrons, et il trempe dans l'encre sa plume de fer :

« Venez! Et quand nous aurons gémi sur nos malheurs, peut-être aurons-nous le bon sens d'être heureux. »

Ou encore :

« Je viens de découvrir une formule (elle est de Ninon de Lenclos) qui m'enchante : « La gaieté de l'esprit en marque la force. » Je trouve cela du tout dessus du panier. »

*
* *

Comment être allégrement à soi, dans ce monde dévorant? D'abord, se demander si le monde est aussi dévorant qu'on le dit. Ensuite, faire comme de tout temps. Tenir la distance. C'est affaire, comme de tout temps, de gouvernement de soi.

Il n'est pas de plus grande preuve d'intelligence, de respect de soi et d'amour d'autrui, que d'être bien dans sa peau et ferme dans son âme. De considérer le monde, et d'y trouver du bon. De vouloir du mieux, et de s'y employer. Mais avec une part que rien n'atteint, rien ne mobilise, rien ne prive de chanter. La plus haute part, au-dessus.

Il vous arrive, comme à moi, de rencontrer des passionnés du nihilisme, remplis du plus noir désespoir. La condition humaine est une atrocité. Le monde, abominable, mérite la destruction. O rage, même le détruire nous est refusé!

J'ai un conseil à vous donner. Je l'ai reçu moi-même de Chesterton.

Devant ce révolté essentiel, ce pessimiste radical, dites :

« Je vous ai compris. »

Et tirez votre revolver.

Montrez-vous, pour lui rendre service, résolu à l'abattre. Comme je suis pour la protection de la nature, y compris la nature des imbéciles, j'espère que ce grand négativiste vous suppliera de n'en rien faire.

Restez d'un bloc. Armez le canon.

Exigez qu'il s'agenouille. Qu'il remercie le bois du plancher, la laine de la moquette, d'être là. Qu'il remercie la vitre de la fenêtre, d'être là. Et le feuillage gris des arbres de la rue, d'être là. Et la rigole de ciel, entre les toits, d'être là. Qu'il remercie ce monde précaire et imparfait, d'être là.

Alors, rangez votre revolver (qui n'était pas chargé). Aidez-le à se relever. Et soyez content de vous. Vous aurez abaissé un idéologue. Vous aurez redressé un homme.

II

La grâce du vieillissement est de faire fleurir de l'innocence sur une masse d'expérience. Je veux mettre de l'enfance dans ma fin de vie, non de la jeunesse.

L'enfance trouve son paradis dans l'instant. Elle ne demande pas du bonheur. Elle est le bonheur. Son être est une fête. L'être de la jeunesse est une tragédie. Avec ses ténébreux orages, ses vertiges suicidaires, ses dévorations d'absolu, la jeunesse est l'âge le moins fait pour le bonheur. Sa condition est une prison. Elle ne peut entrevoir le bonheur que comme rupture et évasion. L'enfance est un absolu donné. La jeunesse est un rêve déchirant d'absolu. Une vraie maturité est de l'absolu conquis. C'est l'éternité de l'enfance retrouvée, mais dans un autre état composé d'intelligence de la vie et de volontaire paix de l'âme.

Une éducation qui n'apprend pas à vieillir, fabrique des monstres : des jeunes avilis par le racisme de leur âge, et de vieux adolescents. Elle retient les âmes dans l'obscurité des zones intermédiaires, quand les deux limpidités sont l'enfance et la vieillesse.

La plus héroïque activité de l'homme est sa bataille contre le temps. Cette bataille commence réellement dans l'âge mûr. Mais pas un idéologue, pas un psychologue, pas un sociologue, ne nous a appris à mener cette bataille. Nous découvrons que la trahison de l'âge, ce n'est pas que le temps nous soit désormais compté, c'est qu'il compte de moins en moins. Ce n'est pas que le temps passe, c'est qu'on le sente de moins en moins passer. Il fuit en perdant de l'épaisseur. Plus nous vieillissons, plus notre vertu devrait être : faire attention. Attention à la nature du temps. Ne pas laisser le temps perdre en nous son poids, sa compacité. La grande ambition de la seconde partie de la vie devrait être : sentir passer le temps.

Il y a un art du vieillissement, qui est l'art de densifier le temps. Nous aimons la vieillesse, nous la respectons grandement, nous lui demandons conseil, en nous-même et chez les autres, quand nous avons compris qu'elle exerce l'art suprême : travailler la nature invisible du temps, produire avec l'instant qui fuit, de l'éternité. La vieillesse a ses immenses chefs-d'œuvre : une heure retenue goutte à goutte, une journée entièrement saisie, tout un automne vu avec plénitude. La belle vieillesse est la créatrice supérieure : elle crée de la durée.

⁂

Vers ma vingtième année, je me rendis, non pas chez mon père que je ne voulus jamais rencontrer, mais au berceau de ma famille paternelle. Je souhaitais connaître Gand, et mes racines flamandes. Je fus reçu par ma grand-mère, douairière rude. Elle me conduisit dans le salon. Je vis, devant une fenêtre à croisillons de verre rose et jaune, un fauteuil au cuir craquelé. Au-dessus du fauteuil, le plafond avait une auréole brune.

— Ici, me dit cette grand-mère inconnue, votre grand-père s'est tenu vingt-cinq ans, sans jamais sortir, et est mort.

Ainsi, mon grand-père, acheteur de peaux, avait couru la Sibérie, le Canada, l'Asie, mené un train d'aventurier jouisseur, puis avait décidé, à quarante-cinq ans, de prendre retraite. Il n'avait plus jamais franchi son seuil. Il avait passé neuf mille jours, silencieux, immobile, dans ce fauteuil, à fumer sa pipe.

Reclus, ne voyant plus du monde qu'une lumière et des ombres à travers des losanges de verre coloré, occupé seulement à sentir passer le temps. Il avait été vent. Il était devenu bloc. Il avait brûlé. Il ne serrait plus la chaleur de la vie que dans son poing autour d'un fourneau d'écume. Il ne parlait plus que pour le nécessaire, mais aimable et égal. Jouait-il avec ses souvenirs? Mon sang me dit que ce n'est

pas sûr. Peut-être s'employa-t-il à faire de chacun de
ses neuf mille jours, un jour strictement identique
à l'autre, un présent pur. Il y a du mystique dans
tout Flamand. Peut-être le brasillement de sa pipe
était-il la lumière d'un autel élevé à la Présence sans
nom. « Peut-être l'essence de la pensée, que nous
en sommes à chercher, a-t-elle sa place au fond de la
sérénité [1]. » Il est mort sans qu'on s'en aperçoive,
la pipe brisée sur le carreau, laissant son auréole
au plafond.

*
* *

Je m'avance vers une fin moins spectaculaire, mais
de même nature. Je me lève avec le jour, et je cultive mon jardin. Dans ma maison sur la mer, je
regarde le sable, les vagues, le ciel, au fond d'un
fauteuil sculpté qui fut celui de Maeterlinck. On m'a
dit que Maeterlinck, à la fin, passait ses jours assis
dans le hall de son palais, une carabine sur les
genoux, défendant son trésor : la solitude, le silence,
la sérénité.

Le calme! Le calme! Comme s'il y avait du divin
au fond du calme.

« Qu'une vie est heureuse, disait Montherlant,
quant elle commence par l'ambition, et finit par
n'avoir plus d'autres rêves que celui de donner du

_____

1. Heidegger.

pain aux canards! » J'ajouterai : et de jouer avec des enfants.

Sans doute les plaisirs simples sont-ils le dernier refuge des âmes compliquées [1]. Mais je crois plutôt qu'une âme qui s'unifie découvre que la qualité et la transparence de la vie sont dans les plaisirs simples. L'œuvre de la vertu est le calme.

A cinquante-trois ans, Chateaubriand note :

« On a souvent représenté la vie, moi le tout premier, comme une montagne que l'on gravit d'un côté et que l'on dévale de l'autre; il serait tout aussi vrai de la comparer à une Alpe, au sommet chauve couronné de glace, et qui n'a pas de revers. »

Parvenu au même âge, je trouve dans cette image mal fichue, une vérité profonde. J'y vois le mystère de la maturité.

Le temps des errances passionnées s'achève. On montait en découvrant dans le monde, les autres, soi-même, toutes sortes de paysages. On prenait quantité de chemins, selon son ambition, sa guise, les hasards, les signes. On était aspiré par la multiplicité. Soudain, ou presque, voilà ce sommet chauve. La vie est faite. L'alentour devient assez indifférent. L'indifférence n'est pas une fatigue de l'âge. C'est la cessation des choix. Il faut signer la paix avec sa propre vie, et en faire, sinon de l'éternité, du moins une bonne imitation. On comprend. Le but était ce paysage nu et fixe. Le prix de l'existence avait

1. Comme disait Oscar Wilde.

été dans le mouvement, la surprise, la diversité. Il est désormais dans l'unité. Sur ce sommet couronné de glace, être suffit.

Quel dommage de n'avoir pas su plus tôt ces choses simples! Elles donnent une force qui remplit mieux le cœur que tous les bonheurs passés.

Telle est la seconde partie de la vie. J'y atteins et m'en réjouis.

Mon père disait plus simplement que la cinquantaine est l'âge du philosophe. Je ne comprenais pas. Etait-ce à cause de la mort du désir? Mais le désir ne meurt pas. Au vrai, rien de ce que nous avons été ne meurt en nous, mais se retrouve dans un autre état. Il est né quelque chose : l'intelligence du bonheur et le sens de l'éternel. Jung disait au même âge que la première partie de la vie d'un homme est sur terre et la seconde au ciel. La cinquantaine renverse l'arbre que nous sommes, et met en haut nos racines. On demeure une âme sensible, bien sûr. Un rien la touche, mais plus rien ne la distend, ni ne la divise. On aura des deuils, des douleurs, des tourments. Mais on est maintenant rocher. Les tempêtes battent le rocher sans l'emporter et se retirent en le laissant vernissé d'eau et d'algues. C'est l'étrange force de l'âge, qui contient le secret de la sagesse.

Tout cela est peut-être plus conscient chez l'artiste. Maurois, lui, disait que « le saint et l'artiste sont amenés l'un et l'autre, après des tentations et des luttes, à se faire une vie d'ascètes ». La comparaison entre le saint et l'artiste me paraît exagérée. Mais

qu'on en vienne à une certaine ascèse, oui. L'artiste
est probablement mieux disposé à recevoir la leçon
de la maturité que l'homme d'argent, de pouvoir,
de vanités. C'est l'âge où le bourgeois se pousse dans
le monde, et l'âge où l'artiste digne de ce nom s'en
retire.

*
* *

Je crois au bonheur. Je crois qu'il y a de la vertu
dans la volonté d'être heureux. Mais l'idée de bonheur n'est pas suffisante. Elle n'est que la préparation
à une idée plus haute. Désirer l'équilibre et la paix
est honorable, mais encore faut-il que l'âme aspire
au-delà de ce contentement. Derrière notre plus grossier désir d'un corps qui passe dans la rue, quand
notre regard fixe des hanches, quand il n'y a en nous
que de l'envie, pas d'amour, quand nous sommes
seulement dans notre chair de chien, c'est tout de
même la source mystérieuse du vivant qui chante,
la génésie universelle qui nous unit aux bourgeons,
aux pistils, aux nids dans les arbres, aux laitances
dans la mer, à tous les engendrements de vie, ici-bas
et dans les galaxies. Un chant infiniment plus vaste
et plus beau que celui de notre basse envie, accom-
pagne notre envie. De même, derrière la volonté
d'une vie heureuse, il y a autre chose : l'aspiration
religieuse de l'âme à la joie. Le bonheur est la disposition profane à la joie.

Notre personne cherche le bonheur, mais notre

âme attend la joie. Une vie heureuse par l'intelligence et la vertu, est une noblesse. Mais la royauté
est la joie, au-delà du bonheur. Un acte spirituel de
reconnaissance et de dilatation. Une félicité sans objet et sans nom, qui passe la personne et l'existence.
« Cette énergie, cette pure allégresse d'exister, disait
un soir le vieux pianiste Rubinstein, qui sont en moi
au-delà de tout, et sont peut-être la raison même de
la Création. »

III

La jeunesse se maquille. La vieillesse ratée aussi.
Un homme un peu réfléchi, à l'âge mûr, ne cherche
plus la force que dans la simplicité. Il jette les orne-
ments en s'approchant de sa mort.

Et puis, je n'enseigne pas, et n'ai pas de catéchisme
à vendre. Enfin, je suis dépris de l'opinion d'autrui
sur moi, comme de moi-même. Bref, si je parle, c'est
en homme, pas en mime. Beaucoup d'écrivains sont
des mimes. Mais le métier ne pardonne pas : ce qu'on
écrit à côté de soi tombe à côté.

J'ai dit ma croyance : je crois en l'âme. C'est tout.
Pour le reste, je suis seulement un homme qui cherche. Bien entendu, je cherche, dans la direction de
ma foi, ce qui peut m'apporter une idée infinie de la
condition humaine. Cette recherche est au rebours
du matérialisme contemporain. Elle est cependant
légitime. Rien, en l'état de nos connaissances objectives, ne l'interdit. Ma direction n'est pas celle de
l'intelligence dominante. Qu'importe? C'est une sagesse, aussi, que d'accepter de paraître imbécile.

J'essaye, comme dit Simmias à Socrate, « de mettre la main sur celle de nos conceptions humaines qui vaut le mieux ».

Il se peut que la vérité soit triste. Mes contemporains le souhaitent, semble-t-il. Mais le contraire se peut également.

Sans révélation définitive de la science là-dessus, et sans révélation divine, qu'est-ce qui nous départage, sinon un pari? Sinon le désir? Le désir que la condition humaine soit un infini, lié à tout l'univers, est dans mon âme. Il est mon âme même. Mais si je dois mourir sans preuves, mon âme n'en fera pas une maladie. Voilà tout ce que je peux répondre. Tranquillement, car c'est suffisant.

J'évoquais Socrate. Je songe à son dernier jour. Sa prison est ouverte. Ses amis sont autour de lui. Il parle d'harmonie universelle, d'immortalité, de liberté toute-puissante de l'âme. Où est la démonstration? Dans ses propos? Ou dans le fait qu'il les tient jusqu'au bout avec sérénité?

Puis il boit le poison. Sur le conseil du bourreau, il marche pour que la ciguë fasse plus vite son effet. Alors Appolodore, qui est de nature nerveuse, se met à gémir, faisant perdre à tout le monde de la hauteur.

« Qu'est-ce que cela, hommes extraordinaires! dit Socrate. Si j'ai renvoyé les femmes, c'est pour empêcher que l'on ne détonnât de pareille façon. Car, je l'ai entendu dire : c'est en évitant les mots de mauvais augure qu'il faut achever de vivre. Allons! Du calme! De la fermeté! »

Je ne me prends pas pour Socrate. Mais je fais comme lui : je repousse le mauvais augure. Je repousse les idéologies qui me privent d'âme, les philosophies qui me privent de philosophie éternelle.

J'ai dit ce qui m'opposait aux idées de notre époque qui font de l'homme une mécanique, une illusion ou une dépendance. Il y a des visions que je déteste, des explications réductrices qui me font horreur, des pensées que je crois maléfiques. Il y a un climat culturel qui me révulse. Quand je vois que ce climat s'impose, je suis comme l'étudiant dont Montherlant me rapportait le propos : « Je me demande de combien de souffrances il va falloir payer l'avènement d'un monde inférieur. »

En mémoire de l'ouvrier mystique qui m'a élevé, je me suis battu toute ma vie contre cet ensemble d'idées, sur plusieurs fronts. Mais j'étais un isolé, sans cuirasse universitaire, et sans les troupes d'appui d'un parti.

Le grand public ne sait pas que nous sommes en guerre civile, dans les milieux de la culture. Pourtant, l'issue de cette guerre déterminera le sort quotidien.

J'ai subi des défaites. J'ai été plusieurs fois roué et défiguré. C'est dur. L'esprit s'éteint. On a envie d'abandonner. Je sais ce que c'est que d'hiberner dans des ruines. Mais la chair et le sang se reconstituent, l'esprit se rallume, le combat continue.

Pourtant, aujourd'hui, quand je descends aussi profond que possible en moi, je souhaite quitter la bataille. Je voudrais m'éloigner du terrain des idées. Je

désirerais gagner, dans mon cœur, un lieu d'où comprendre les hommes — quoi qu'ils pensent,
fassent, disent — passe en mérite tout jugement.
Comprendre est comme chanter, et la musique ne
dit ni le bien ni le mal.

Les idées? Oui. Mais c'est la créature qui compte,
finalement. Cesser de se battre sur des idées concernant l'Homme. Comprendre et aimer les hommes. Ne
pas perdre de vue la créature. Je voudrais mourir
à cette part de moi, réputée importante, où se fabri-
quent les idées. Ce n'est pas le meilleur de l'intelligence. Rien n'est au-dessus du regard qui saisit la
créature, qui voit tel homme, et tel autre, et qui comprend, et qui est comblé, parce que tout ce qui est
compris est bien.

Que les dieux m'accordent encore des années, pour
être romancier, peintre, seulement peintre! C'est le
romancier, quand il peint le théâtre du monde, en
comprenant et en aimant tous ses personnages, qui
a raison.

*
* *

J'ai contribué à éveiller ou accroître des besoins
spirituels. Je n'ai jamais prétendu fournir de quoi
les satisfaire. Des lecteurs demandent souvent un
chemin, des contacts, des aides, pour « aller à la
vérité ». Interrogez-vous vous même! Aucune révélation particulière n'est possible, si notre existence
n'est pas tout entière l'instrument de l'initiation. Il

y a des écoles : ce ne sont que des passages. Il y a
des maîtres, ce ne sont que des relais. A notre
propre habileté de résoudre les questions d'itiné-
raire. Personne, rien n'y supplée. Dès que vous sus-
pendez l'exercice de l'esprit lucide sur vous-même,
autrui, la société, le monde, sous prétexte d'élans
de l'âme, vous n'avez plus qu'une simulation sentimentale de la vie spirituelle. Adversité, punition aux
crédules! J'atteste que je n'ai jamais entravé la liberté de personne. Ni la mienne.

Les hommes qui vieillissent (parfois très tôt) se
resserrent sur un petit nombre de certitudes. Le mû-
rissement est l'élargissement des doutes, une veille
de l'esprit pour maintenir la connaissance à son plus
haut degré d'incertitude. L'homme vraiment mûr est
libre. Il sait qu'il ne sait pas. Il avance pourtant. Il
marche sur l'océan de ses incertitudes, comme Jésus
sur les eaux.

Socrate (comme Confucius) enseignait le doute,
et que nul n'est sage, croyant l'être. Il n'apportait
pas la connaissance, mais la détermination à s'y dis-
poser; non la vérité, mais son désir. Et cependant,
ou justement, Socrate et Confucius se sentaient in-
vestis d'une mission divine.

*   *
*

Si j'examine mon bagage, je le trouve mince. La
plupart des hommes, établissant leur bilan, se montrent assez déprimés. Ils tiennent à ce que l'on par-

tage leur dépression. C'est ce qu'ils nomment la solidarité. Ils disent : frères, pleurons sur ce pauvre lot
commun. C'est aller un peu vite. Pourquoi renoncer?
Voilà où j'en suis. C'est peu. Je m'arrangerai avec.
« On » ne me doit rien. Je ferai de la sérénité avec
mes incertitudes. Je demanderai la grâce d'éprouver
de la joie. Mais je garde tout de même l'espoir de
trouver mieux. De faire une rencontre décisive.
De recevoir une illumination. Qu'un génie s'éveille
en moi. A cause de mes mérites? Ils sont faibles.
Pourquoi pas par hasard? Il y a une loterie. Je
continue à miser. Il y a toujours une chance de décro-
cher le gros lot. « Si le secret de la vie m'était envoyé, je ne le laisserais pas échapper par crainte des
ricanements [1]. » Je ne crois pas que la seule bonne
chose que l'on puisse attendre soit « une île et un
peu d'opium ». On peut attendre la lumière, toute
la lumière. Des hommes l'ont reçue au cours des
âges. D'autres la recevront. Que je ne gagne pas ne
prouve pas qu'il n'y a rien à gagner.

Je crois que la grande ruse du Diable est de nous
persuader que nous sommes seuls. Et que nous ne
sommes rien, dans un univers muet. J'ai tendance à
croire que nous sommes reliés à d'autres intelligences
que l'humaine, sur terre, dans le temps et dans l'espace. Je crois que la matière fourmille d'intelligences,
qu'il y a des organes des sens et de la conscience,
jusque dans les particules. Je crois qu'il y a un Créa-

1. Loren Eiseley.

teur d'Etoiles, et toute une hiérarchie d'esprits dans le cosmos : des Trônes et des Dominations, comme disait l'ancienne théologie. Je crois que nous ne sommes qu'une variété de semence de l'Intelligence universelle. Je crois à une interdépendance infinie, et, qu'en ce sens, l'homme est un être d'avant le temps.

Je crois que l'homme est un des aboutissements de la création universelle, la forme stable de l'esprit incarné sur terre. Que l'esprit déposé dans l'homme est tout, peut tout, est extensible à la totalité de l'univers. Que la condition humaine est un infini, et qu'il y a seulement des malentendus sur le mode d'emploi. Je crois que des intelligences célestes agissent, observent, attendent. Je crois que notre histoire connue n'est que la part visible d'une histoire immergée dans l'océan du temps, où l'esprit a été en communication avec d'autres modes de connaissance et sans doute avec des Intelligences extérieures.

Oui, je crois cela, et que la question religieuse n'est pas : concilier la révélation et le déterminisme, ou intégrer le marxisme dans les Evangiles, mais : ressaisir l'idée de l'interdépendance universelle; reconnaître le caractère ouvert de l'histoire humaine; adopter une autre attitude envers le Temps; réviser complètement les notions de matérialisme et de spiritualisme.

Cependant, je n'ai pas pour vocation de fabriquer un système. Et je ne suis pas fou. Je ne me crois pas appelé à fournir un remplaçant à Dieu, même à titre provisoire.

Un physicien américain, Gérald Feinberg, a écrit
que l'humanité à venir, dans le progrès accéléré, ne
manquera ni d'eau, ni d'air, ni de nourriture, mais
qu'elle risque de manquer de buts. Il proposait « Le
Projet Prométhée » : une recherche des buts. Le plus
grand, et le plus bouleversant, serait d'entrer en contact avec d'autres formes d'intelligence dans l'espace,
de recevoir une parole des Trônes et des Dominations. Je crois que cela arrivera, et que c'est peut-
être déjà arrivé.

Je crois cela. Mais je n'ai aucune sorte de certitude. Et même, je peux me passer de ces croyances.
Je peux les tenir à distance, comme on regarde à
distance les feux du brillant qu'on porte au doigt,
admirant, mais sachant que le brillant n'est qu'un
placement et qu'on s'en séparera, si la fortune tourne. Ce n'est pas le brillant qui compte, c'est que j'aie
le don d'admiration. Ce don d'admiration est une
faculté de l'âme, qui survit à n'importe quelle
croyance, qui justifie l'existence, bien au-delà de la
possession d'une pierre ou de quelques idées. Mon
âme me dit : permission accordée; crois ce que tu
veux dans le possible; je te donne raison de choisir,
parmi tant d'incertitudes, la croyance la plus belle
à tes yeux. Mais ton art et ta gloire ne sont pas
là. Ton art et ta gloire sont, tout simplement, de
vivre.

*
* *

En feuilletant mon journal intime, j'ai retrouvé cette notation :

« Il fait une belle nuit de printemps mouillé; silence mat, de temps en temps des oiseaux timides, et une épaisse vapeur odorante. J'ai désespéré de moi toute la journée. J'ai regardé les années perdues que je ne compenserai pas, le peu qui me reste à vivre, le peu que je pourrai faire, la faiblesse de mon esprit, mon peu de savoir, mes médiocrités de caractère. Et à mon amertume s'ajoutait la conscience de pécher, car c'est une bassesse que de désespérer de soi. »

Il est bien difficile de croire en soi. Plus on s'efforce de se connaître... Et pourtant : « Connais-toi toi-même, et tu connaîtras le monde et les dieux. » C'est donc que la lumière du monde et la puissance des dieux sont en nous, que chacun de nous est un absolu. Quand nous nous renions, nous renions avec nous notre part divine. Mais savoir l'honneur qu'on se doit! Et, qu'en soi, on doit à l'univers!

On est toujours tenté de déposer son fardeau. De confier à l'alcool, à la chair, aux distractions, aux fausses responsabilités, à l'excès de travail, à des solidarités, au militantisme, à la politique, à l'argent, au pouvoir, bref à toutes sortes de drogues, le soin d'aller porter le fardeau aux oubliettes.

Il y a une tentation tout aussi pernicieuse : l'humilité dévote. Seigneur, je ne suis qu'un imbécile, un faible, un vilain enfant, un raté. Je dépose mon linge sale entre tes mains adorables. Prends ce paquet spongieux, tout imprégné de ma dévotion humide. Bon Papa, je renonce. Le pauvre type agenouillé que je suis, se cache et se perd dans les plis de ta divine robe de chambre.

La cinquantaine révèle brusquement un désert : le sommet chauve de Chateaubriand. Il y a eu une épouvante, et j'ai été tenté par la dévotion humide. Un orgueil (qui n'est pas attaché à ma personne) et la prière m'en ont écarté. La prière n'est pas une démission. Elle est une recharge. Elle n'est pas une éponge. Elle est une épée. Je sais le peu que je suis. Mais il faut que ce peu soit armé. Il faut que ce peu honore son esprit, quoique limité, assume son meilleur, quoique non sublime; bref, reprenne en main ses quelques dignités. Seigneur, je vous offre, non mes faiblesses, mais ce que j'ai de forces; non ma sottise, mais l'intelligence qui m'est impartie; non mes indignités, mais les vertus dont je suis capable. Dieu n'ignore pas plus que moi quelle pauvre chose s'adresse à lui. Mais il exige que cette pauvre chose se présente en grande tenue.

J'ai dû avoir, naguère, quelque vision idéale et fausse de moi. J'ai dû croire qu'il y avait en réserve un Pauwels plus grand que Pauwels. Ou peut-être, tout bêtement, me suis-je cru plus grand que je n'étais. Il est difficile de s'accepter. Il faut y mettre du sien.

Curieusement, je désespère moins de moi, depuis

que je me suis accepté, et que j'ai renoncé à l'espoir ae me surprendre moi-même. Cela ramène mon existence, mes idées, mes sentiments, mes actes, à un centre de repos, d'indifférence, qui est en même temps un centre d'énergie.

Egalité d'âme devant les choses, les événements, comme devant moi-même.

J'ai cherché des transfigurations, dans toutes sortes de passions. Quant aux hautes ascèses, aux cimes mystiques, je crois qu'elles ne sont pas de mon destin, plutôt ordinaire. Il n'y aura pas de transfiguration. Au fond, je n'espère rien du destin. Mais je n'ai pas peur non plus. Ni espoir ni peur fut une devise de chevalerie.

> *Il a été conduit par son Lion*
> *Dans le désert*
> *Où il n'y a que du sable et des os.*
> *Et il ne pleure pas sur sa solitude.*
> *Les yeux séchés par un soleil blanc*
> *Il en contemple l'étendue infinie*
> *Et il dit :*
> *Etendue infinie*
> *Enseigne-moi* [1].

Nous aspirons toujours à quelque changement : du monde, des autres, de nous-même. Mais le grand changement, c'est lorsque l'identité des choses, des

1. Poème dans mon Faust (*Président Faust*, Télévision).

humains, et notre propre identité, cessent de nous paraître monotones. Je me fais une vie unie. Ce qui est toujours le même, c'est finalement ce qui dépayse et libère. On attend des changements. Et c'est, mystérieusement, l'unité qui nous change. Au fond de l'unité, s'allume et se met à briller la lumière de l'être. Cela suffit à tout.

Un jour, pour moi comme pour tous, le monde s'assombrira dans les deuils et les maladies de la vieillesse. Cependant, je crois que rien n'atteint la lumière de l'être. C'est là tout l'accomplissement.

La sérénité ne vient pas du dehors. A vrai dire, elle ne vient de rien, et tout est contre elle. Rien ne nous donne l'âme sereine. On est seulement serein parce qu'on a de l'âme. Oui, je crois que c'est là tout mon accomplissement possible.

Avant que je sois indifférent à ma personne, que j'abandonne quelque idée mythique de moi-même, je redoutais d'être diminué, je souhaitais d'être augmenté. Mais, dit le sage : « Ce qui peut recevoir addition est inachevé; ce qui admet la soustraction n'est pas perpétuel. »

Qui que nous soyons, si peu que nous soyons, notre passage dans l'univers est une épreuve de force. Deux meules, disait-on dans la Chine antique, tournent pour nous, l'une au ciel, l'autre sur terre. Si un homme est un homme, les meules l'usent jusqu'à sa perfection. Sinon, jusqu'à sa destruction.

J'essaye de me placer de la bonne façon entre les meules, afin qu'elles travaillent à la perfection dont je suis capable avec la personne ordinaire que j'ai reçue.

Quand mon âme se sera détachée de ma personne, j'aimerais qu'un petit enfant dise à mon chevet ces trois vers d'Hölderlin, et qu'on les grave ensuite sur ma tombe :

> *Ce que nous sommes et avons été ici*
> *Un Dieu là-bas, espère-le, peut le parfaire*
> *Dans l'harmonie et la grâce éternelles de la*
> *[paix.*

Janvier 1972-septembre 1973.

NOTES

Ce livre achevé, il y avait un reliquat : quelques centaines de pages de réflexions, études, exercices préparatoires.

Je crois utile d'extraire du reliquat ces trois notes, parce que chacune éclaire une partie du livre.

Première : Pourquoi la philosophie contemporaine (du moins celle des professeurs) a-t-elle si peu de choses à me dire?

Deuxième : Je refuse le messianisme. Je le crois ennemi du bonheur et de la liberté. Je parie sur le pragmatisme démocratique. Eloge et défense de l'idéal démocratique.

Troisième : Du bon usage de la maturité. Des vertus du retirement. Mais il y a tout de même des fraternités. J'attache de l'importance à la permanence des « ordres » chevaleresques et initiatiques dans la société moderne.

I

SUR LES SILENCES DE LA PHILOSOPHIE

> « *L'œil fixé sur les dernières réverbérations de la philosophie ancienne. Soleil couché.* »
>
> Victor Hugo (note sur son carnet, juin 1836).

Voici un gros dictionnaire de philosophie contem-
poraine. Universitaires de renom. Editeur sans parti
pris [1].

Sous-titre du dictionnaire : De Hegel à Foucault.
Du marxisme à la phénoménologie.

Lecture faite, vous avez compris que ce sous-titre
contient un programme et signifie : « Du pré-
marxisme aux hyper-marxismes, et du marxisme à
l'impossibilité de n'être pas marxiste. »

La phénoménologie, création allemande, doit quel-
que chose à la Grande Guerre. C'est une étroite
tranchée où la philosophie spiritualiste défend ses
ultimes positions, les pieds dans l'eau. Disons que
la phénoménologie appartient à la tradition philo-
sophique qui, des stoïciens à saint Bernard, de
Nietzsche à Berdiaeff, de Bergson à Husserl, est une
réflexion sur la nature de l'existence et l'essence de
la pensée.

---

1. Dictionnaires du Savoir Moderne, C.E.P.L., Paris.

Que nous dit le dictionnaire?

« *Ce discours est ancien. Si camouflé qu'il soit (aujourd'hui) il importe de le débusquer, de l'étaler, de le détruire. Enfouir le regard philosophique dans le sol du savoir jusqu'au point où, aveuglé, il éclate.* » *(Bombardons la tranchée! Enterrer l'ennemi!)... C'est pour nous la bonne méthode : celle qui, une fois pour toutes, s'efforce de tuer le phoenix : la forme traditionnelle de la conscience philosophante. [...] Ne doit-on pas, en effet, se garder des interprétations existentielles, si l'on veut (c'est moi qui souligne) retrouver le noyau rationnel chez Marx et chez Freud?* »

« *On veut* » : *cela est clair. Rien hors de Marx et de Freud. On décide : la philosophie ne doit plus être qu'une réflexion sur l'inutilité de la philosophie. On ordonne : sacrifice de toute vie philosophique aux pieds de sainte Plus-Value et de sainte Libido.*

*

* *

L'article « sagesse », du dictionnaire, est l'un des plus courts.

Afin de préciser le caractère incongru de la chose, on a fait suivre, entre parenthèses, le nom insulaire : wisdom. L'étudiant est d'emblée au courant : La sagesse (wisdom) est le hobby du vieux gentleman anglais. L'ambition antique, la quête d'un souverain bien, exprimée avec entêtement, durant trois mille ans, à travers des grands textes universels, n'est plus à considérer que comme folklore anglo-saxon.

L'auteur consent à se souvenir d'un monde qui poursuivait « l'idéal d'un homme vivant par l'entendement, maître de ses passions, trouvant dans cette maîtrise une connaissance de l'ordre des choses et un mobile d'y adhérer ». Il reconnaît que c'est « une conception de la vie morale et l'idéal intellectuel de toute vie spéculative ». Il admet qu'il faut y voir « la réalisation de l'éternité individuelle ici et maintenant ».

Mais cette exhumation l'écœure. « La notion de sagesse est inconcevable hors des philosophies qui parlent de l'âme et du corps », remarque-t-il. Heureusement, nous nous sommes défaits de ces tenaces niaiseries. Il rejette la chose dans le trou en se pinçant les narines : « Cette notion a beaucoup vieilli, et la philosophie a cessé d'être l'amour de la sagesse. » Ouf!

Que s'est-il donc passé? Quelle fabuleuse découverte avons-nous faite, pour que la conscience philosophante, réputée éternelle, aille aux oubliettes? L'auteur nous le révèle en une phrase :

« Aujourd'hui, on a fait de l'histoire et du désir une objection à la puissance de l'entendement. »

Ce qui signifie : nous avons décidé qu'il n'y avait plus dans l'homme de conscience libre et éclairante. Nous estimons que la conscience est désormais une dépendance. Soit de l'inconscient sexuel. Soit de la lutte des classes.

C'est pourquoi votre fille est muette. « On a cessé

de philosopher à la couture de l'âme et du corps.
Rien ne tient lieu de sagesse dans le monde moderne. » Mais il vous reste Freud dans la vie privée et
Marx dans la vie sociale. Vous devriez être heureux
du progrès.

Pour le gouvernement de vous-même : voyez le
psychanalyste. Tout le reste est politique : voyez les
marxistes. Quant à nous autres, philosophes, tout
notre enseignement tient dans ce couplet :

Notre vie est un voyage
Dans l'hiver et dans la nuit.
Nous cherchons notre passage
Sous le ciel où rien ne luit.

(Chanson des Gardes suisses, 1793.)

Et si nous en disons un peu plus long, en chaire et
dans nos livres, c'est pour rentabiliser nos longues
études, qui ont coûté à nos parents.

*
* *

La philosophie, durant des millénaires, formula
les grandes questions que tout esprit se pose sur
son destin et sa vérité, et elle tenta d'y répondre. Elle
a renoncé à cette activité. Aussi les hommes vont-ils
chercher des lumignons chez les psychologues, les
historiens, les idéologues, les politiciens, chez tous
les diplômés en « sciences humaines » tenant boutique, sauf chez ceux qui furent jadis les éclaireurs
patentés.

La philosophie fut la patronne des sciences. Peu à peu, les sciences se sont détachées d'elle. Cette évolution était légitime. Mais il s'est produit trois phénomènes :

1. Battue sur le front de la nature, battue sur le front de la nature humaine, la philosophie s'est rendue sans condition, couvrant de cendres sa vieille tête.

2. Abandonnée à elle-même, la morale n'a pas survécu. Plus débrouillardes, des sciences floues, qui avaient toujours dépendu de la philosophie, comme la psychologie, la sociologie, se sont cousues des galons de commandement, et glissées dans l'état-major des sciences exactes.

3. Tandis que la philosophie, retirée en son pourrissoir, abjurait son passé et confessait sa vanité, les sciences se sont mises à philosopher. Surtout les dernières venues. Avec autorité.

Le monde enregistrait la démission des philosophes. Mais il continuait de croire en la philosophie souveraine. A condition, toutefois, qu'elle ne vienne plus des philosophes. D'accord, pensait-il, ces gens-là ne sont bons à rien, qu'à l'avouer en jargon. Heureusement qu'un idéologue (Marx) et un médecin (Freud) ont pris la relève, et nous ont redonné de la philosophie qui explique tout!

De sorte que le mythe du philosophe universel se redéploya vigoureusement, au moment où les philosophes déclaraient forfait.

Le monde, qui a des habitudes, voulait de la phi-

losophie. A condition qu'elle soit proposée par des non-philosophes.

Ces nouvelles philosophies, plus globales et autoritaires que jamais, avaient le grand avantage de la rupture. Elles rejetaient la quête de la sagesse. Elles cessaient de renvoyer l'homme à son propre entendement. Pareille aux yeux de la femme aimée, la philosophie éternelle offrait à l'homme « des chers miroirs contraignants dans lesquels on se voit vu ». Ces théodicées laïcisées changeaient tout cela. Il n'y avait plus de libre arbitre, plus de conscience autonome. La clé n'était plus dans l'âme. Elle était dans le sens de l'histoire, ou dans le complexe d'Œdipe. En outre, Marx invitait à dépasser la pensée par l'action, et Freud par la divagation sur un divan.

Beaucoup de philosophes, qui avaient besoin de pain, quémandèrent une petite place dans la cité, rien que pour célébrer ces merveilles.

D'autres, sans doute moins chargés de famille, tentèrent d'aller courir leur chance ailleurs.

Dans l'esprit populaire, ce qui demeurait rebelle au marxisme et au freudisme, et réclamait tout de même de la philosophie, s'en fut tromper sa faim chez les astrologues, les occultistes et les yogis.

Telle est la navrante et véridique histoire.

*
* *

Je veux dire maintenant deux mots sur le voyage des philosophes émigrants.

Ils se partagèrent en deux groupes. Le premier rejoignit les logiciens anglo-saxons. Le second, les existentialistes allemands.

Durant ce voyage, médecins, psychologues, sociologues, idéologues, continuèrent d'investir les places vacantes.

L'homme est un rat, proclama le docteur Watson. Testons le rat, nous connaîtrons l'homme. Toute la vérité est dans la ratologie.

L'homme est un chien, décréta le docteur Pavlov. Toute l'aventure humaine est dans le réflexe conditionné.

L'homme est le produit de l'évolution aveugle, l'enfant du hasard et de la nécessité, assurèrent des biologistes.

Ce vieux boiteux d'Epictète nous avait pourtant prévenus : « Le pire dommage pour l'homme est de perdre son humanité. »

★
★ ★

Les logiciens se posaient la question : que peut la philosophie à l'âge de la science? Pas grand-chose. Ils lui trouvèrent un petit emploi : poser des questions sur le langage. Quand vous parlez d'une chose, le philosophe vous demandera : comment en parlez-vous? que signifie la façon dont vous en parlez?

Désormais, l'affaire de la philosophie, c'est : une réflexion sur la notion de signification; une critique des conventions du langage; une nouvelle analyse du langage. La philosophie n'a rien à dire sur l'homme et sur le monde. Elle s'occupera de la façon dont nous parlons de l'homme et du monde. Pas du contenu de ce que nous disons. Seulement de la cohérence des mots employés.

La logique elle-même est vide de contenu. C'est une variable, qui sert à faciliter les opérations mentales. Elle ne contient pas d'évidences. Elle n'est qu'un guide de cohérence. Le seul contenu de la logique, c'est l'activité logique.

La métaphysique est-elle vraie ou fausse? La question ne se pose pas. Analysons ses énoncés, du seul point de vue de l'empirisme logique. Ils ne tiennent pas le coup. Vous dites : « L'Etre existe ». J'analyse. Cela signifie : « Il y a il y a. » Zéro. Vous dites : « Je pense, donc je suis ». Je traduis : « Je pense, donc il y a quelque chose qui pense. » Zéro. Vous dites : « Il y a de l'inexprimable. » Passons au crible. Vous avez dit en réalité : « Il y a des faits qui ne sont traduits par aucune proposition. » Egale : « Il y a des propositions qui ne sont pas des propositions. » Egale rien.

La métaphysique est un sac crevé. La psychologie est à renvoyer aux sciences. La morale? Elle dénote simplement des références à des valeurs relatives au groupe, à l'histoire. Que le moraliste se fasse ethnologue, ou statisticien, et qu'il observe au lieu de prêcher. Quant au philosophe, ayant découvert que « le mot chien ne mord pas », il s'apercevra que l'analyse logique dissout les questions philosophi-

ques. La philosophie n'est « qu'un rêve de notre langage », « un ensorcellement de l'intelligence par les mots ».

La seule occupation possible est l'analyse logique des notions, des théories, des démonstrations scientifiques, indépendamment de leur contenu. La philosophie sera désormais à la science ce que la grammaire est au langage.

Certains logiciens, toutefois, se demandèrent s'il n'y avait pas un autre langage que celui des sciences : celui de l'homme. La science ayant l'air de se passer allégrement des néo-grammairiens, il serait peut-être utile de faire l'analyse logique du langage courant, dans ses rapports avec le sens commun?

D'autres voulurent unir les deux ambitions. Ils cherchèrent un langage mathématique qui vérifierait la cohérence, aussi bien dans les énoncés scientifiques que dans les paroles de tous les jours. Ainsi les vit-on se chamailler pour savoir si la phrase : « Il y a des choses brunes et des vaches », peut s'exprimer par la formule $(3x)\ Exw\ (3x)Exy$, ou par la formule $(3x)Bx\ (3x)Cx$.

Wittgenstein, enfin, qui avait contribué à fonder l'empirisme logique, arriva à la conclusion que la philosophie ne concernait pas plus la signification que l'utilité. Il fallait se contenter de définir les règles du jeu des multiples niveaux de langage. Il revint cependant à l'idée qu'il y a de l'inexprimable. Au-delà du discours, il y a peut-être de la philosophie dans l'homme comme il y a de la musique. Au terme *de sa longue bagarre avec les mots, il conclut étrangement : « La véritable découverte est celle qui me permet de philosopher quand bon me semble. »*

Quelques logiciens se mirent à réfléchir sur cette forte remarque : « Quand vous avez découvert que le langage décrit le monde, tous les problèmes que vous aviez avec le monde reviennent. »

Au fond de cette impasse, les attendait l'ombre du vieux boiteux Epictète. Ils se demandèrent si ces problèmes avec le monde ne sont pas ceux que posait la philosophie éternelle, quand elle parlait des rapports de l'âme et du corps. Aux dernières nouvelles, ces analystes ébranlés glissent doucement vers l'antique métaphysique.

Et puis, quand ils lèvent les yeux de leurs bouquins sur les « énoncés préformatifs », ou sur la « sémantique extensionnelle », ils constatent que, de l'autre côté des vitres de la classe, les anciennes philosophies, en provenance des rives du Gange ou des collines grecques, reprennent force et vigueur.

*
* *

Les émigrants du second groupe ont choisi une voie encore plus étroite. En vérité, ils cherchent l'âme. Mais ils n'osent pas le dire, ce qui leur occasionne de gros embarras. Les logiciens, sur les campus, les appellent « les mangeurs de lotus ». Seulement, ils mangent le lotus à la manière allemande, enrobé d'une pâte étouffante. Husserl et Heidegger sont des génies, à l'écriture indigeste.

On pourrait dire qu'ils ont choisi de méditer sur un poème zen et sur la véritable énigme du Sphinx.

Le poème :

> Rien au monde qui ne manque au vieux P'ang
> Tout est vide chez lui; pas même un siège
> [pour s'asseoir,
> Car la Vacuité absolue règne en sa demeure.
> Sans aucun trésor, quel Vide!
> Quand le soleil se lève, il marche dans la
> [Vacuité.
> Assis dans la Vacuité, il chante des chants
> [vides.
> Et ses chants vides résonnent dans le vide.

L'énigme :

Que peut produire l'esprit de l'homme, qui ne soit ni une pensée, ni une association d'idées, ni un souvenir, ni un rêve?

Husserl répond : il peut produire de l'Etre. Il peut produire de la méditation vide de tout contenu, qui, approchant l'Etre, engendre de l'Etre.

Dans cette suspension du jugement, le vieux P'ang éprouve la vacuité abyssale. Mais il a deux directions possibles. Intensifier la méditation du vide, de toute son énergie spirituelle. Alors le vide se fera plein, et l'angoisse sérénité. Ou constater ce vide avec désespoir, devenir nihiliste et s'engager dans l'histoire pour

assumer sa liberté absurde. La première direction
est celle des husserliens et heideggeriens. La seconde
est celle de Sartre.

Depuis Kant, il était entendu qu'il n'y avait pas
dans l'homme, au-delà de son moi, un Je fondamental, transcendant, unique, capable d'atteindre le cœur
de l'Etre, par un acte indicible de présence à lui-
même, hors des domaines de l'intelligence spéculative et du langage. Toute la réflexion de Husserl part
de ce fond oublié ou renié. Le Je transcendantal est
en nous le divin, sans preuves et sans prêtres.

« Il est manifeste que chaque esprit a une certaine
continuité avec l'Esprit de l'Univers », disait Gior-
dano Bruno, rebelle à l'Eglise, mais fidèle à la tradition. On avait cessé de compter là-dessus.

Le travail de Husserl porte sur le commencement
de toute pensée. Il retrouve, sur ce chemin à rebours,
les ascètes du Gange, l'Atman de Cankara. Il médite
aussi comme Maître Eckhart, son compatriote mystique. Il ignorait l'un et l'autre. Il remonte tout seul
vers les origines de toute philosophie, d'un pas énergique et lourd de docktor.

Les études avancées, dans ce nouveau domaine de
l'ontologie, où l'on progresse difficilement à travers
un vocabulaire pâteux, ont tout de même un avantage : elles permettent d'acquérir des idées anciennes.

Je crois que l'antique voie royale de la philosophie,
passe sous les épaisseurs obscures de l'ontologie et
des existentialismes allemands. On s'en aperçoit quel-
quefois. Quand Raymond Abellio commente Husserl.

Ou quand Heidegger, en de rares occasions, abandonne le charabia. Dans des textes comme Sérénité ou le Chemin de campagne, apparaissent un poète et un sage.

Pour le courant, il faut mastiquer des milliers de pages du genre : « Si l'être de l'être immédiat de chaque jour est différent en principe de la pure présence immédiate, en dépit du fait qu'elle est semblablement proche de lui ontologiquement, encore moins l'être du soi authentique ne peut être conçu comme présence immédiate. » Lire cela, dit Henry Aiken, « c'est essayer de crawler dans du sable humide ».

Tout de même, la recherche ontologique indique qu'il y a une restauration à tenter. La pensée calculante a envahi l'Occident. C'est une pensée utile. Mais le propre de la pensée calculante est de ne pouvoir s'arrêter, se retourner sur elle-même, se mettre en question. C'est pourquoi elle se prétend et se veut la seule pensée. Elle a en vue un monde technique et planifié où elle serait seule admise. Cependant, l'essence de l'homme est dans la pensée méditante. Cependant, notre plus profonde joie de vivre est dans l'égalité d'âme et dans l'esprit ouvert au secret. Nous devons restaurer la pensée méditante.

Hélas, les mots ne suffisent pas. Ces philosophes, confinés en littérature philosophique, aggravent la séparation des deux cultures — la littéraire et la scientifique —, sans bénéfice de clarté pour la première. D'autre part, ils veulent ignorer la tradition initiatique, dont ils procèdent pourtant. Enfin, couchés en rond sous leur édredon de mots, ils ne perçoivent du monde qu'une rumeur très vague.

Heidegger estime que pour retrouver une pensée méditante douée de parole utile, nous devrons revenir aux pré-socratiques.

Husserl, à la fin de sa vie, écrivait : « Du moins, déjà âgé, je suis parvenu à la certitude d'être un véritable débutant. »

En attendant, cette philosophie, non plus, n'a rien à nous dire sur le gouvernement de nous-même; rien sur les valeurs; rien sur la morale.

Ou bien, elle n'a pas trouvé les moyens de le dire. Par une grande malchance, quand elle prend la parole publiquement (surtout en France) c'est par la bouche de traîtres (« voyous publics » dit Heidegger) qui prétendent pouvoir conclure logiquement qu'il n'y a pas de nature humaine, et qu'en ce néant, autant Marx.

★
★ ★

Résumons-nous. Il n'y a plus de philosophie, mais il y a trois sortes de philosophes professionnels : des démissionnaires, des émigrés, des usurpateurs. Les premiers révèrent les idoles Freud et Marx. Les deuxièmes se sont réfugiés, soit dans l'empirisme logique anglo-saxon, soit dans l'ontologie allemande, sans langage commun avec les hommes. Les troisièmes sont les idéologues de la ratologie. L'inconscient

sexuel. *La lutte des classes. L'abstraction sans consé-*
quence. La réduction à la mécanique animale. Par
soumission, par exil, ou par prétention mécaniste,
tous ajoutent aux angoisses du siècle, tous aggravent
dans l'homme un sentiment de vacuité et d'abandon,
tous ainsi facilitent la tyrannie des choses et des
grands dévorants politiques.

Mais les fruits de la philosophie véritable, depuis
que le monde est monde, ont toujours été : le calme,
l'absence de crainte et la liberté.

Le monde ne serait-il plus le monde? Je me méfie
du mythe mutation. On veut m'en imposer avec ce
mot, pour accréditer cette fausseté :

Les changements seraient si radicaux que l'homme,
à qui s'adressait la philosophie éternelle, n'existerait
plus. Il aurait muté. Il serait quelqu'un d'autre. Son
essence serait partie ailleurs. Dans l'Œdipe. Dans le
rat. Dans les structures linguistiques. Dans les méca-
nismes d'adaptation. Dans l'histoire. Dans l'écono-
mie. Dans la lutte des classes.

Je n'en crois pas un mot. Je ne doute pas de l'uti-
lité des nouveaux champs de recherche. Mais je refuse
d'y voir la mort de l'homme. L'homme n'est mort que
dans la tête des antiphilosophes. Je crois à une
essence dans l'homme. Je crois à un centre de gravité
dans l'homme.

Quand le XVIᵉ siècle secoue le joug de la scolas-
tique, il retourne aux humanités. Quand le XVIIIᵉ siè-
cle se libère des pressions de la pensée gelée, il en
appelle aussi aux humanités. Le fond de la pensée de

89 *est antique. Il s'exprime dans la fête de l'Etre*
Suprême, et dans ces vers de Chénier :

> Abîmes de clarté où, libre de ses fers,
> L'homme siège au conseil qui créa l'univers,
> Où l'âme remontant à la grande origine
> Sent qu'elle est une part de l'essence divine.

Il s'exprime chez Saint-Just :
« Je méprise la poussière qui me compose et vous
parle; on pourra la persécuter, la faire mourir, mais
je défie qu'on m'arrache cette vie indépendante que je
me suis donnée dans les siècles et dans les cieux. »
Nous sommes aujourd'hui dans les ténèbres d'une
nouvelle scolastique (celle des prétendues sciences
humaines). De même qu'au XVI* *et au* XVIII* *siècle,*
nous ne secouerons le joug qu'en restaurant l'huma-
nisme originel.
Je crois que notre civilisation est, sur le fond, tout
comme les précédentes : elle a besoin de philosophie
éternelle. Elle a besoin de porter à la raison la
connaissance des valeurs permanentes.

*
* *

Je lis une étude sur Pavlov. L'homme, désormais,
au lieu d'interroger sa conscience (qui n'existe pas)
va prendre modèle exclusivement sur l'extérieur. Au
lieu d'obéir à quelque guide intérieur (qui n'existe
pas) il va tenir pour l'essentiel l'ajustement à la so-

ciété, à l'Histoire. L'auteur de cette étude poursuit :

« De quoi l'homme se plaindrait-il? Il est maintenant l'homme sans bagages. »

Hé! sans bagages, je me plains de ne pouvoir pas faire ma toilette.

Cet historien des sciences ajoute :

« On a retiré à l'homme les vieilles certitudes qui assuraient son ossature morale. Maintenant, les obligations sont externes. La conduite est déterminée par la société et ses exigences. Mais pourquoi la carapace du crustacé inspirerait-elle moins de confiance que le squelette du vertébré? »

Diable! C'est que je ne veux pas être pêché dans un casier!

On invoque, prétendument au nom de la science, une mutation favorable qui m'aurait fait langouste. Cet anti-philosophe a raison sur un point : comme la langouste, en effet, je le fuis à reculons. Je rejoins mes profondeurs, mes eaux et mon rocher : la philosophie éternelle. Et elle ne me tient pas un langage pour langouste. Elle me dit de fortifier sans cesse mon ossature interne. Elle dirige les fortifications intérieures, qui me feront davantage homme.

*
* *

La pensée philosophique judéo-chrétienne ne s'est pas remise d'une série de catastrophes lumineuses.

Avec Copernic, la Terre cesse d'être le centre de l'Univers. Les découvertes post-coperniciennes mon-

trent que les mouvements des astres ne s'opèrent pas
selon des cercles parfaits. L'idée d'une perfection céleste, correspondant à la perfection de l'âme, s'éva-
nouit.

Avec Darwin, l'homme cesse d'être centre et roi
de la Création.

Cet exilé de l'axe de l'Univers, ce seigneur déchu
de la Création, va se diviser et se déliter intérieure-
ment en cet exil. Descartes réduit sa vie consciente
à l'exercice de la raison. Kant lui retire le noyau de
l'âme. Hegel le met sous la dépendance d'une dialectique de l'esprit inscrite dans l'Histoire. Marx lui
dénie toute autre réalité que sociale et économique.
Freud le condamne à une obscure tragédie sous le
fatum du sexe. Pavlov substitue au for intérieur le
conditionnement. Les béhavioristes en font une simple mécanique des stimuli-réponses. Bref, il n'est plus
le centre de rien, et rien ne l'autorise plus à se centrer
lui-même.

Ces catastrophes dégagent de la lumière. Elles font
aussi de l'obscurité. Sous le couvert de connaissances,
se développent des théodicées de l'anti-divin, des philosophies de l'anti-conscience, et des sciences humaines de l'homme-mort. Somme toute, des manières
scientistes de cacher la condition humaine. Des idéologies du cadavre psychologique. L'esprit public est
prié de ne considérer comme crédible que la pensée
courte. Celle-ci est l'alliée naturelle de la tyrannie
politique.

*
* *

La pensée courte s'est emparée du pouvoir culturel. A y regarder de près, elle ne s'est pas emparée
du savoir véritable. En réalité, deux voies demeurent
ouvertes à la transcendance : la science et la métaphysique. Le scientisme exclut à la fois la science
et la métaphysique, qui sont les possibilités complémentaires d'une perpétuelle résurrection de l'homme
éternel.

Intimidés, les chrétiens font leur message le plus
plat possible, pour le glisser sous la porte des matérialistes. Ils le feront encore plus plat pour le glisser
sous la porte de fer du tyran que le matérialisme aura
suscité. Quant aux philosophes, ils ont déserté toute
philosophie des valeurs. Mais il y a deux faits :

— La science ouverte repose les interrogations
fondamentales des temps métaphysiques;

— L'homme, qui n'est pas si mort qu'on le dit,
fait reverdir les aspirations traditionnelles.

De sorte que chez les philosophes eux-mêmes, s'esquisse timidement un retour aux origines de toute
philosophie.

En 1966, prenant la parole au nom de beaucoup
de collègues, le professeur Abraham Kaplan (du Mi-
chigan) prononçait cette véritable incongruité :

« Le mot philosophie signie amour de la sagesse.
Mais nous autres, philosophes, professionnels, sommes de ceux qui en savent le moins là-dessus. »

A la même date, dans une étude de Time, *on pouvait lire :*

« Il y a peut-être des chances pour que la philosophie réapprenne à coexister avec la science. A condition qu'elle se présente comme une discipline séparée, capable d'agiter publiquement et intelligiblement des problèmes primordiaux. »

En philosophie, comme en toute chose, il n'y a de nouveau que ce qui a été oublié. La misère de la philosophie a fait souvent l'objet de discussions philosophiques. Cette misère est profonde aujourd'hui. Aussi profonde qu'en l'âge ténébreux et fou de scolastique, où les Barbares foisonnaient dans Rome. Mais la confusion n'annonce pas forcément le désastre définitif. Hegel lui-même disait que le hibou de Minerve ne bat des ailes que dans la poussière. En attendant qu'il remonte au ciel et y reprenne sa faction, regardons le ciel.

II

SUR LA DÉMOCRATIE

Après lecture du livre de M. René de Lacharrière : « La Divagation de la pensée politique » *(P.U.F., 1972).*

Je crois à la démocratie. Précisons : je crois à la démocratie libérale. Allons plus loin : je crois à la démocratie démocratique. On a du mal avec les mots, présentement.

Hugo a écrit, voici cent dix ans, tout ce que j'ai à dire :

« L'idée démocratique, pont nouveau de la civilisation, subit en ce moment l'épreuve de la surcharge. Certes, toute idée romprait sous le poids qu'on lui fait porter. La démocratie prouve sa solidité par les absurdités qu'on entasse sur elle sans l'ébranler. Il faut qu'elle résiste à tout ce qu'il plaît aux gens de mettre dessus. En ce moment, on essaye de lui faire porter le despotisme. »

Il annonçait la démocratie populaire :

« Certaines théories sociales, très distinctes du socialisme tel que nous le comprenons et voulons, se sont fourvoyées. Ecartons tout ce qui ressemble au couvent, à la caserne, à l'encellulement. Que les peuples d'Europe prennent garde à un despotisme refait

*à neuf dont ils auraient fourni un peu les matériaux.
La chose, cimentée d'une philosophie spéciale, pourrait durer. »*

A Jersey, autour du guéridon spirite, voletaient sans doute des esprits frappeurs venus d'Asie. Hugo ajoute, prévoyant pire :

« Certains théoriciens [...] en sont venus à une acception presque chinoise de la concentration sociale absolue. »

(William Shakespeare, livre cinquième, III, 1863.)

Je contresigne tout, même « l'idée démocratique, pont nouveau de la civilisation ». L'école nous trompe. Nous croyons que la démocratie est le tissu de l'histoire, déchiré de temps en temps par des méchants. C'est faux. Nous prenons l'idéal démocratique pour la matière première de l'esprit politique. C'est absurde. L'ordinaire de l'histoire est la tyrannie. Tout animal politique court d'instinct vers l'absolutisme.

Je crois que la démocratie est la contradiction apportée par l'intelligence à la politique naturelle. Que c'est l'exception de l'histoire. Une neutralisation précaire, par des citoyens doués pour la réflexion et le bonheur, du pouvoir normalement autoritaire.

Ce sont l'intelligence et le goût du bonheur, qui ont permis aux Français de vivre bourgeoisement leurs tragédies et de récupérer la démocratie après chaque tempête.

Je crois que la démocratie est un test collectif d'intelligence et de qualité. Les Suisses n'ont peut-

être inventé que le coucou, mais ils ont vaillamment passé ce test.

Peu m'importe de n'être pas original. La formule célèbre me convient : le meilleur des gouvernements est celui qui gouverne le moins possible. Pour moi, la seule politique acceptable est celle qui me fait une société dans laquelle je peux cultiver des valeurs non politiques.

★
★ ★

L'idéal démocratique peut toujours s'écrire : Liberté, Egalité, Fraternité. Il paraît que notre monde prive ces mots de sens. Pour qui? Le monde ne s'est pas avili, au contraire. Mais notre pensée, oui. Quel instituteur français serait aujourd'hui capable d'expliquer la trilogie? La réalité ne comprime pourtant pas ces mots. Seule une pensée vulgaire comprime leur signification.

La liberté est un sentiment politique, l'égalité un sentiment moral, la fraternité un sentiment religieux. Les gens de 89, étaient imprégnés de vertu romaine et de déisme.

Quand la morale est entièrement malaxée avec la politique, ce n'est plus qu'un moralisme douteux. Il n'y a aucune morale qui ne se fonde, soit sur l'esthétique (l'idée du beau, la notion d'homme de qualité), soit sur la métaphysique. Je sais bien que Marx et Mao réfutent cela. Je ne vois pas en quoi un idéologue de 1848 et l'empereur de Chine m'empêcheraient de croire la vérité.

Le sens de la trilogie disparaît avec le matérialisme historique et philosophique, le rejet des valeurs permanentes, la négation d'une présence absolue dans l'homme, la non-intériorisation de l'existence. Nous nous mettons alors à socialiser des notions qui ne se conçoivent qu'à une certaine distance du social. L'égalité implique une noble idée de l'homme et une ascèse morale. Pour saisir l'égalité, il s'agit d'être. Etre, c'est être différent. L'égalité n'est pas dans le nivellement. Elle est ce qui permet d'harmoniser les différences, avec une conscience élevée du respect de soi et d'autrui.

Nous attendons de la justice sociale, qu'elle provoque le réflexe conditionné de la fraternité. La justice sociale est souhaitable. Elle est possible dans la démocratie libérale moderne. Nous devons y travailler. Mais elle n'entraîne pas la fraternité. La fraternité ne se vit qu'à un certain degré d'intériorisation de l'existence. A partir de quoi je découvre, mon frère, qu'il y a entre nous comme la pierre d'un autel.

Je comprends les gauchistes, que le vide moral et religieux travaille. Ils transfèrent nerveusement dans le politique et le social, un profond et éternel besoin non satisfait. Ils réclament d'urgence une égalité politisée, primairement nivelante, dans l'espoir qu'elle leur restitue le sentiment moral. Ils trépignent pour une fraternité socialisée, factice et invertie, qui leur rendrait le sentiment religieux. Ils attendent d'une énorme exagération du sentiment politique, le retour à des sentiments de la conscience et de l'âme. Outré et déformé, le sentiment politique laisse choir la liberté. Ils ne la demandent plus que comme moyen. C'est une fin. Que comme un troisième terme aléatoire. C'est le premier bien. 89, moral et religieux, mettait chaque sentiment à sa place, et la liberté en tête.

*
* *

Je ne crois pas que la révolution soit à réinventer. Elle a été inventée une fois pour toutes en 89.

L'Amérique, c'est 89 plus la mentalité pionnier. La Russie ne s'est pas édifiée sur la pensée marxiste-léniniste. Cette vérité de manuel vient a posteriori. L'U.R.S.S., c'est la révolution française plus le froid.

A partir de Liberté, Egalité, Fraternité, deux systèmes ont été forgés. Chacun voit dans l'autre l'asservissement. Je ne pense pas qu'une moitié de l'humanité d'Ouest ait tort et l'autre raison. Je fais deux constatations.

La première est que le soviétisme s'est élevé sur beaucoup de cadavres, des massacres de 1917 aux vingt millions de victimes politiques sous Staline. Sans me prononcer sur le fond, je donne mon estime au système le plus économique en vies humaines. J'ai tenu ce propos chez des catholiques avancés. Cette façon de voir leur a paru très bizarre. Visiblement, le « Tu ne tueras point » les prenait au dépourvu.

La seconde, est que chaque système trahit à sa manière l'idéal démocratique. La trahison est grossière en U.R.S.S. et subtile aux U.S. Comme, par nature, je préfère le subtil, je préfère l'Amérique.

L'échec de la démocratie est universel. Mais il n'est pas uniforme. Tout de même moins pesant à New York qu'à Moscou. Des pays d'Europe en font un usage passable. La France, par exemple.

Ce constat indignera des hallucinés, je sais. L'an passé, à Genève, un étudiant, œil de feu, me reprocha d'une voix haletante d'accepter dans mon pays le pire régime policier qui fût sur terre. Je lui offris le voyage à Paris, retour compris, pour venir en discuter devant un micro. Il préféra garder son cauchemar au frais, dans l'air alpin. Laissons ces types aux psychiatres.

Je ne désespère pas de la démocratie. Ceux qui se servent du mot pour camoufler la tyrannie, en attestent du moins la validité. Et enfin, que le sort de la démocratie soit l'équilibre instable, prouve qu'il s'agit de la glorieuse anomalie politique.

Beaucoup de gens, qui ne sont pas révolutionnaires, mais qui respirent des miasmes dans l'air du temps, sont prêts à admettre que le système est caduc. Comment ne le serait-il pas? « On est en pleine mutation. »

Pas un jour sans lire ou entendre cela. Aucune

expression n'a fait plus grande fortune en si peu d'années. Je crois qu'il s'agit d'un slogan.

Nous vivons le développement de l'industrialisation entreprise au siècle dernier, et l'information s'est généralisée. La hausse du niveau de vie et l'information ont fait évoluer toutes les couches sociales. La faim, le froid, l'ignorance, la douleur, la mort, furent le quotidien du peuple, qui s'habillait en noir. Plus de richesses, plus de soins, plus de contacts, plus de renseignements, plus de loisirs : nous voici moins frustes. Notre sensibilité croît. Avec la sensibilité croît la peur. Qui s'affirme augmente ses craintes.

Au XVIIIe siècle, un enfant sur trois mourait avant un an; la moitié des jeunes gens avant vingt ans. En 1847, Paris comptait 65 pour cent d'indigents (enquête de la Préfecture sur la distribution des bons de pain). Le monde n'est pas plus terrible que jadis. Il l'est moins. Mais nous tremblons davantage, étant plus évolués.

Tout slogan est un piège. « En pleine mutation » justifie que l'on remette tout en cause. C'est pain bénit pour l'antidémocrate, le despote administratif, l'utopiste tyrannique. « En pleine mutation » dispose à l'insatisfaction pathologique, paralyse le discours politique raisonnable, rend les plus grandes démences idéologiques culturellement respectables. Quand ces désordres auront noyé la démocratie libérale, surnagera sa négation. « En pleine mutation » prépare un absolutisme. Quand nous y serons, plus question de muter. Ecrire ou dire que « le monde est en pleine mutation », vaudra le bagne. Jupiter persuade les rainettes que ça mute dans la mare. L'impatience les étreint. Il leur faut du neuf. Elles plébiscitent un échassier, qui les gobe.

* *

J'en conviens : fût-ce dans la moins mauvaise des démocraties libérales, la volonté populaire n'est pas souveraine. Elle est évoquée. Elle est peu consultée. Elle n'est pas souveraine. Elle doit l'être. Je crois qu'elle peut l'être. C'est affaire de volonté pragmatique et d'information. Les moyens d'informer sont disponibles. La volonté ne l'est pas, déroutée à la base par les idéologies, troublée au sommet par des ivresses.

Je discutais avec un Premier ministre :

— Trop d'écart entre la nation et le pouvoir, lui dis-je. Des décisions, pourtant justes, sont incomprises, et donc aisément travesties. Quand le pouvoir décide...

Il m'interrompit :

— Le pouvoir décide, parce qu'il sait.

— Pourquoi ne dit-il pas ce qu'il sait?

Question clé, à mon sens. Que la nation dise ce qu'elle veut, que le pouvoir dise ce qu'il sait : voilà le souhaitable.

⋆
⋆ ⋆

M. René de Lacharrière fit paraître un ouvrage de haute lucidité, qu'on passa sous silence. Il est vrai qu'il s'intitulait : « la Divagation de la Pensée Politique. » J'y assurai mes idées, par cela même qui rebroussait les culturalistes. Nous sommes convenus, de nos jours, que la révolte (« remise en cause fondamentale ») va avec l'ardeur et la générosité des chœurs poétiques. Je pense, comme Hugo, que plus le poète est poète, plus son jugement politique est pragmatique.

Je crois que la société industrielle pourrait être une société démocratique au sens plein. Une démocratie ouverte et allègre, où s'expriment la raison et la volonté des citoyens.

Un des empêchements graves tient à notre peur de cette société industrielle, au mythe de la machine dévorante, au phantasme de la robotisation. La mentalité générale dote la machine d'un coefficient négatif. La machine nous veut du mal. Elle nous en fera. C'est dans le programme. Elle nous en fait déjà. Elle mange l'herbe, elle boit l'eau, elle pompe l'air, elle rétrécit le temps, elle nous boulottera demain. J'entends toujours sa condamnation, jamais sa louange. Nous la divinisons dans le terrifique. Moloch est aussi un Dieu.

Il y a du très suspect dans cette déification inversée de la société industrielle, qui fait de celle-ci quelque

chose d'étranger et d'hostile à l'univers humain, au
bon sens et au vouloir des citoyens. Cette sorte idiote
de rousseauisme déchire le contrat social. Cela fait
d'une société en développement une société de décou-
ragement. Cela anéantit la volonté démocratique.
Cela profite au marxiste, antidémocrate. Il feint de
proposer un changement qui dé-robotiserait. Berlin-
Est serait-il le Tahiti de Bougainville? Mais cela,
aussi, induit le pouvoir, (supposé régner dans les
hautes sphères où Moloch fait son menu), à la conduite secrète, à la décision ésotérique, à tenir à distance ces Gaulois qui craignent que le ciel tombe.
« Il faut donc travailler pour ces crétins malgré eux »,
dit le Pouvoir, plutôt triste. La peur mythique fait
l'esclave. Mais qui règne sur des esclaves est lui
même esclave.

Rien n'est plus important que de restaurer la sympathie pour les machines, dans l'âge industriel adulte.
Il est singulier que cette sympathie s'exprime dans
l'usage quotidien, et se change en frousse et haine
dans le climat culturel. Cette contradiction entre le
vécu et le dit (ou le chanté), engendre d'ailleurs une
honte intime, qui se fait agressivité.

Les machines ne votent pas, mais les hommes. La
bombe H ne tue pas, mais les hommes. La société
industrielle et la démocratie sont associables. Le progrès technique se développe en ignorant les doctrines
et les crises fantasmatiques. Il aggrave ou atténue les
difficultés de la démocratie, selon que nous sommes
attachés ou non à la démocratie. C'est un fait de

nature, à notre disposition. L'industrie fabrique les instruments que l'on veut, pour l'usage que l'on veut.

Avec les machines à photocopier, il vous est loisible, pour un franc la feuille, de tirer un libelle et de l'adresser à qui bon vous semble. A l'Est, la détention illégale d'une photocopieuse peut être punie de vingt ans de prison. Vingt sous ou vingt ans, selon les doctrines.

L'industrie fournit les instruments de la démocratie étendue : l'information, la décentralisation, l'échange direct, la consultation permanente. L'électronique nous rend Athènes, si notre vouloir ne s'égare pas.

Faisant avec la futurologie un mariage d'humour, un de mes amis inventa de doter chaque citoyen d'un bouton électronique sur quoi appuyer, en cas de mécontentement raisonnable. Une mince plaque réceptrice devait être greffée sous la peau du ventre des gouvernants. Quand le taux de critique passait 50 pour cent, Boum! Ces Messieurs volatilisés! Il déposa le brevet. Il ne fut pas candidat aux élections.

La fable est un peu bête, mais le sens démocrate est juste.

*
* *

« Le monde en pleine mutation » exige « la prise de conscience ».

— Sarah a pris conscience, me disait ce père. Elle milite.

Il disait cela comme : la voici jeune fille; c'est son premier bal. Sarah faisait son entrée dans le monde par la grande porte : celle de gauche.

Il n'avait jamais eu que des idées-mode, étant confectionneur. Il croyait qu'il n'y a de conscience que marxiste et insurgée.

Une conception de l'homme et de l'histoire, exclusivement déterministe, imprègne la culture en circulation. C'est déjà une culture marxiste. En conséquence, « prendre conscience » signifie : adhérer à l'idée que l'histoire a un sens, fixé par les lois objectives de l'économie. Ce sens assigne un destin à la démocratie libérale : se transformer en société collectiviste non démocratique.

Je ne suis pas déterministe. Je doute que l'histoire ait un sens. Je crois à la conscience individuelle. Je crois à la volonté personnelle. Je crois au libre arbitre. Je suis athénien, avec voiture et télé.

C'est pourquoi, au sein de notre démocratie, et même chez les libéraux, je me méfie des invocations aux « lois objectives », aux « structures » et aux « mécanismes » qui, paraît-il, régenteraient la société industrielle, comme s'il s'agissait d'un organisme non humain, fonctionnant pour son propre compte, dans des sphères supérieures. Ces hautes arcanes sont à surveiller. Je les suspecte de servir à nous éloigner d'Athènes.

Je pense que l'industrie, dans son âge adulte, offre quantité de moyens d'assouplir et d'élargir la démocratie. Mais la société industrielle est surtout évoquée

*pour justifier ce qui nie la démocratie : le pouvoir
établi, la puissance bureaucratique, la décision plani-
ficatrice à huis clos. L'idée obtuse, le cauchemar, que
se fait d'ailleurs de l'industrialisation le citoyen, en
écoutant des troubadours végétariens, n'arrange pas
les choses.*

*L'Athénien a froid, s'il assiste à des dîners de
« responsables », même accompagnés de leurs dames.
Il s'aperçoit que le marxiste, le grand commis de
l'Etat, le P.D.G. important, font partie de la même
caste néo-sacerdotale. Ils parlent d' « impératifs »
techniques, qui leur enjoignent d'organiser les vies,
comme les Jésuites invoquaient naguère la Providence. Ils sont tout à fait d'accord sur la nécessité
d'un appareil « objectif », d'un système de décisions
supérieur, édifié à partir de « données spécifiques ».
Ils sont les intimes du Grand Architecte de l'univers
industriel. Ils connaissent ses nécessités et ses manières, qui ne sont pas du vulgum. L'Athénien, tout petit
sur sa chaise, assiste aux agapes d'une franc-maçonnerie. La mathématique et la technicité l'enveloppent,
dans un vague tourbillon de doctrines. Les propos
des Frères sont d'autant plus « objectifs », qu'ils
contiennent une très forte proportion d'ésotérisme.*

*L'objectivité, remarque M. de Lacharrière, est no-
tablement enrichie du fait que l'on tient pour étrangers et toujours un peu niais les désirs et les raisons
du citoyen. Le citoyen est désolant. Il demande sans
savoir. Il ne saisit pas les nécessités. Il n'est pas pros-
pectif. Il ne voit pas l'avenir. (Parmi mes dîneurs,*

qui pense au-delà de son conseil du jeudi?) Bref, « si l'on écoutait le citoyen, il n'y aurait pas moyen de construire la cité ».

Ils ne sont peut-être pas d'accord sur les fins politiques. Ils n'accrochent pas leurs idées générales au même clou. Ils n'assaisonnent pas pareillement leur morale. Encore qu'ils lisent peu (seulement de l'urgent) et ne méditent pas (seulement calculer). Quand on les fréquente, on est stupéfait de leur vacuité intime; on les découvre très patauds dès qu'il s'agit des pensées essentielles. Ils dévalent leur pente, voilà tout. Mais ils partagent le sentiment de caste. La nature dirigeante les unit. Ils sont les maîtres du secret. Ils sont d'accord sur ce fond : la nécessité de « protéger l'Etat contre l'intervention de l'évidence profane ».

Les moments démocratiques furent toujours ceux de la parole claire et de la vulgarisation généreuse. La France vit une haute époque de cuistrerie. Si l'élite est d'autant plus cuistre qu'elle est de gauche, c'est que son penchant naturel se trouve aggravé : la gauche n'est plus démocrate. Il y a une connivence entre les spécialistes de la société industrielle, marxistes ou pas. Quand l'architecte des beaux quartiers, grand-bourgeois, se rend en U.R.S.S., il s'y conforte dans son mépris de l'homme quelconque. Peu lui importe la politique : tous les directeurs se ressemblent, on est entre initiés. Mais il y a aussi une connivence entre ces spécialistes et l'ensemble de la caste intellectuelle, même si l'on cultive dans celle-ci de la

pensée anarchiste. On vit sur le même sentiment :
qu'il faut tenir à distance le profane.

*
* *

Au-delà de tout, il y a une fraternité sacerdotale
des compétences, réelles ou prétendues. L'important
est d'appartenir à la néo-aristocratie. A quoi recon-
naît-on ce sang bleu? Au langage qui décroche du
langage ordinaire. Au véhicule particulier. Aux mots
qui vous font rouler carrosse.

Le littéraire, le psychologue, le certifié en sciences
humaines, moins que d'autres à l'abri de l'évasif et du
truisme, tirent fort avantage et dignité de cette connivence. Ils se bricolent leur part de cette langue technicienne et scientiste, qui vous sacre mieux que le latin.
(Je propose le verbe « scientifier », connotation actuelle de sanctifier.) Bref, on a grand intérêt à entre-
tenir ensemble le respect muet du citoyen sans titre
et sans diplôme.

L'intellectualité de gauche, dans son opposition
aux puissances établies, affirme sa connivence en
renchérissant sur le langage isolant et la pompe universitaire. Elle tient à montrer qu'elle est encore plus
capable que la classe techno-politique de se couper du
citoyen ordinaire. Elle veut prouver qu'elle défendra
encore beaucoup mieux la notion de caste.

*
* *

Mon père cousait derrière des barreaux, ayant fait son atelier dans la cage d'escalier. On n'a jamais pu construire l'étage. On n'eut pas l'escalier. Il eut la cage.

Mon père disait : le peuple vit toujours caché. La droite voit des sujets. La gauche voit des masses. Les élites françaises ont inventé un nouveau moyen de cacher le peuple. Le langage tenant lieu de tout, ce moyen est un mot. Ce mot est « poujadisme ». Le « poujadisme » désigne à la fois le sujet non docile et la masse non compacte. Il sert à droite comme à gauche. Il fait l'unanimité du mépris. Il a les qualités idoines. Une sonorité grossière (comme Lucas dans Molière, pour faire se marrer la Cour). Il dérive du patronyme d'un bonhomme sans parti, ni de la classe ouvrière, ni cadre, ni culturaliste. Un petit commerçant de Saint-Céré, centre de la France. Un particulier de la région des Fouchtra. Au-delà des questions boutiquières, le « poujadisme » stigmatise l'état d'esprit du citoyen qui ne révère ni le technocrate ni l'idéologue. Le mot cloue au pilori le sens commun et le pragmatisme. Il discrédite la réclamation du bons sens sans phraséologie, sans doctrine ni technicité. Il indique que tout quidam est un plouc. Que c'est avoir la paille au cul, que raisonner pour son propre compte. Et qu'on est bien vilain quand on est un particulier.

Le mot « poujadisme », enfin, coiffe du bonnet d'âne l'homme quelconque, qui ose préférer son bonheur à l'Organisation et au Messianisme. Je suis contrit de ma simplesse; je crois que la politique démocratique consiste d'abord en ceci : préférer l'égoïsme des petits, souvent juste, à l'orgueil des grands, toujours illégitime.

J'ai dit un soir, à la table d'un homme d'Etat, qu'une société démocratique adulte serait celle qui, au sein du développement, considérerait la politique comme l'art modeste d'arranger l'économie de l'ensemble en vue du plus grand épanouissement possible des libertés et bonheurs individuels, ici et maintenant. A « modeste » Sa Grandeur se renfrogna. Il fallait à Sa Grandeur du sacré. Sa Grandeur entendait pratiquer l'art ultime. Je ne fus plus invité chez Sa Grandeur. J'étais poujadiste.

Le pouvoir trouve les « gens » poujadistes. Il ne le dit guère, sauf portes closes. Il feint même parfois d'approuver, car il doit sa promotion aux « gens ». Alors, la gauche bondit : pouvoir poujadiste! C'est-à-dire borné, vulgaire. Agréable aux « gens ».

L'opposition autorise davantage au mépris du citoyen ordinaire. Le peuple synthétique est épatant. Mais, à l'unité, il est douteux. L'intelligence révolutionnaire honnit ouvertement les idées et les manières du quidam. Le culturaliste méprise qui n'est pas de sa caste. Et qui n'entend pas sa messe est Poujade. Poujadisme est plus affligeant que bourgeoisisme. Le culturaliste sait son bourgeois par cœur. Il est de la famille ou du quartier. Il en a le standing, sinon l'esprit. Poujadisme évoque une catégorie sociale résolument inférieure et étrangère : les petites gens, le terroir. Poujadisme est la façon culturelle de dire avec dédain : peuple.

Il est entendu que le culturaliste prépare la révolution, travaille pour la masse. Le malheur est que, derrière la masse, soit le peuple. Le dommage est que le peuple soit fait de gens. La grande affaire du culturaliste sera de rester dans sa caste, mais de la gonfler beaucoup, avec l'aide des media, pour qu'elle ait l'air d'un peuple.

★
★ ★

Le mot, né d'un incident social sans qualité : une Jacquerie de petits commerçants, est devenu terme générique. Poujadiste qui, appuyé sur son expérience directe, sur sa réflexion native, récuse les compétences de l'Organisation, de la Politique, des corps constitués du Pouvoir et de l'Intelligence. Qui s'insurge contre l'élitisme. Qui fait soi-même sa cuisine; qui ne se fournit pas aux grandes fabriques de produits alimentaires pour l'esprit.

Eh bien, en ce cas, né du peuple, je suis poujadiste.

Je crois que la société industrielle, en dépit des clameurs de Cassandre (mais Cassandre s'est toujours mis le doigt dans l'œil) apportera aux hommes de plus en plus de loisir, de vie privée et de moyens de

rendre celle-ci intéressante. S'il en va ainsi, le poujadisme est l'avenir; nous ferions mieux de nous y préparer. La réclamation du particulier ne cessera de
s'amplifier. Mais la démocratie n'est finalement rien
d'autre que la croissance et la multiplication, avec
Liberté, Egalité, Fraternité, des possibilités du particulier, des libertés d'attitude et d'esprit du citoyen
ordinaire.

Croissez et multipliez en particularité : voilà ce que
dit Dieu démocrate.

*
* *

Le premier devoir de l'intellectuel démocrate est
de suspecter les élites constituées, à droite comme à
gauche. Face à toute pensée révérée : paysan du Da-
nube. En ce sens, Alain était poujadiste. Voltaire
aussi. Descartes aussi, à l'égard de la Sorbonne. Newton, contre les doctes : « Si j'avais lu autant que vous,
je serais devenu aussi ignorant que vous. »

Et Rousseau! Que personne ne guide mes yeux!
Absolument pas soumis aux pages littéraires du
Monde. Jusqu'à exagérer : « J'ai cherché la vérité
dans les livres; je n'y ai trouvé que le mensonge et
l'erreur. J'ai consulté les auteurs; je n'ai trouvé que
des charlatans. » Nullement impressionné, s'il voit à
la télé des élites parisiennes faisant salon : « Où est
celui qui, dans le secret de son cœur, se propose un
autre objet que de se distinguer? Pourvu qu'il s'élève
au-dessus du vulgaire, pourvu qu'il efface l'éclat de

ses concurrents, que demande-t-il de plus? » (le Vicaire savoyard). *Poujadiste pleine peau, il estime que
les simples citoyens, sans manière universitaire, sans
terminologie spéciale,* « *n'en sont que plus propres
à saisir le vrai dans toute sa simplicité* » (Lettres
écrites sur la Montagne). *Décidément fouchtra : nos
philosophes propagent quantité d'absurdités* « *dont
on a honte sitôt qu'on les dépouille de leurs grands
mots* ». *Le* Vicaire savoyard; *toutes citations faites
par M. de Lacharrière.)*

*Rousseau, non plus que moi, ne souhaite le démo-
crate ignorant. Il célèbre le libre esprit. La science,
vraie ou supposée, la connaissance spécialisée, la
technicité confèrent le sérieux. Il n'est pas sûr qu'elles
insufflent l'intelligence. Le démocrate est comme
Paul Féval, génie populaire, qui disait :* « *Je travaille
pour les gens qui sont intelligents avant d'être sérieux.* »

*Quand le citoyen est tenu pour rien, que l'élitisme
règne, la cuistrerie fait grande carrière. Quand la
cuistrerie remplace la pensée fraîche, la liberté pour-
rit partout : dans la culture, dans la société.*

*On appelle le diplômé à se prononcer en toutes
choses. La science véritable n'a jamais prétendu à la
décision politique. (L'idéologie déguisée en science,
si.) Cependant, dévoyé par l'ambiance dévote, le
spécialiste des gamètes, ou du morphonème chez les
Chimbuns, prend des grands airs. Il dit l'avis de la
science sur la peine de mort ou l'avortement. Il
empiète sur l'opinion au nom de la science. Au nom*

de la science, respect. Mais non! Ce Nobel n'est ici
que Dupont, qui en impose. Otez la toge, retirez le
langage, et n'écoutez que Dupont sur cette question
publique.

*
* *

Que les éminences du pouvoir administratif, social,
politique, ne vous en fassent non plus accroire, sous
prétexte qu'elles sont familières de Moloch, et de ses
« lois objectives ». Il n'y a pas de Moloch. Frottez vos
yeux. Regardez le monde. Moloch est un mythe dé-
pressif. Civilisation industrielle? Soit. Mais en civilisation industrielle, l'attitude démocratique n'est pas
plus « dépassée » que l'odeur du jasmin ou le sourire
des bébés.

Ranimons des évidences. L'une de ces évidences
est que la décision publique requiert le bon sens. Et
que le grand commis, le technocrate superbe n'en
sont pas mieux pourvus que le conducteur d'autobus.
Ils risquent même d'en avoir moins, à cause des mira-
ges du pouvoir et de trop de bêtises entendues dans
trop de dîners en ville.

Une démocratie à prééminence cuistre, qui vénère
les compétences prétendues, qui bée à ses spécialistes,
qui donne caution à ses directeurs de droite et de
gauche, et qui croit d'or pur la monnaie de singe de
sa caste culturaliste, s'abandonne aux Dévorants. Elle
n'est plus qu'un champ de bataille entre les tendances
autoritaires. Le citoyen n'y peut que perfectionner
sa démission. Elle est fourbue.

« *L'idée, partie de 89, a ses étapes à fournir; elle crie en avant! en avant!... Mais comme cette France, qui est un cheval de révolution, désire l'écurie!* » (*Victor Hugo, encore.*)

*
* *

Oui, je crois à la démocratie. Je crois à la valeur de mon jugement personnel, de ma pensée de source, de mon expérience directe.

Parce que je suis démocrate, je m'oppose au magister qui me retire le libre gouvernement de moi-même. Je réfute toute « nécessité objective » de l'histoire, comme tout « impératif » de la décision suspendu dans un univers abstrait.

Je crois qu'il n'est aucune sorte d'idée, de principe, qui ne se puisse exprimer de manière accessible à tous, et qui ne puisse être soumise à l'examen du citoyen ordinaire, en son privé.

Aux armes citoyens? Les armes sont en moi, si je pense par moi-même. Entre les leçons de la classe politique, de la classe scientiste et de la classe culturaliste, le jugement ahuri, défaille. Il cesse d'être personnel. La tyrannie s'insinue. On croit qu'elle vient des machines. Elle vient des mots. On l'impute au progrès. Je crois, au contraire, que le progrès, qui se passe de mots, tournera les positions du despotisme, en rendant chaque homme à son univers personnel. La révolte de la jeunesse contre l'école n'est pas tout à fait justifiée. La jeunesse a de grandes vacances. Ce sont les adultes, qui auraient raison de s'insurger, soumis à un climat scolaire permanent, par des maîtres de compétence usurpée. C'est être démocrate que refuser tout discours qui tend à nous faire perdre, avec la foi en nous-même, le bon usage de notre privé.

Il n'y a qu'une libération qui vaille : celle des vies individuelles. Elle viendra. En attendant, ne se soumettre ni à On ni à l'Histoire. Je ne vaux pas plus que quiconque. Mais nul ne vaut plus que moi. Je refuse que l'on forge mon destin. Je forge moi-même mon destin. C'est cette action au jour le jour qui s'appelle l'histoire, laquelle ne vaut qu'une minuscule.

En Provence, au-dessus de Bandol, l'été dernier, j'entrai dans la boutique d'une artisane. Elle fabriquait et vendait le petit livre rouge. Mais il était composé de feuillets blancs et on lisait sur la couverture : le Petit Livre Rouge de Moa. Je l'achetai. Non par mépris des Chinois, et non pour l'amour de Moa. Mais, sous sa couverture qui disait non avec ironie à tout magister, et célébrait allégrement l'individu, ce petit livre de raison aux pages vierges, me parut l'Evangile pour une démocratie adulte.

III

SUR LA FONCTION PERMANENTE
DES SOCIÉTÉS INITIATIQUES

> *« Mon frère, qu'y a-t-il entre nous?*
> *— Un secret. »*

« *Les éveillés ont un seul monde qui leur est commun, tandis que ceux qui dorment retournent chacun à leur monde particulier* » (*Héraclite*).

« *Et vous-même, comme des pierres vivantes, édifiez-vous pour former une maison spirituelle* » (*Pierre, première épître*).

« *La franc-maçonnerie est une institution d'initiation spirituelle au moyen de symboles* » (*Symposium des grands maîtres européens, 1952*).

Je connais les dangers du syncrétisme. Mais la sagesse présocratique, la gnose chrétienne et la maçonnerie spirituelle prononcent tout de même la même Parole.

Une anthropologie reste à faire : celle des ateliers de l'éveil spirituel. Les méthodes fondamentales. L'universalité des aspirations et des méthodes, à travers les siècles, les cultures, les langages, les religions, les symboles. Rien ne nous serait plus utile, je crois, pour comprendre et dominer d'actuels problèmes de civilisation.

Tant que les sciences humaines n'auront pas abordé ce fond, j'aurai du mal à les considérer effectivement comme sciences de l'homme.

Mais je ne veux ici apporter qu'un témoignage modeste et quelques réflexions d'usage courant.

★
★ ★

Jung, qui fut proche de la maçonnerie, dit qu'il y a « une obligation supérieure d'acquérir par soi-même une véritable autonomie de l'être », mais que le passage par quelque groupe, plus précisément par quelque groupe à vocation initiatique, est, et sera longtemps encore, indispensable à quantité d'hommes. Je le crois aussi.

Une vie d'écrivain est privilégiée. Elle dispose, mieux qu'aucune autre, à remplir cette obligation supérieure. Mon existence m'appartient à temps complet, ou presque. Au fond, tout mon métier est d'avoir de l'être spirituel. Ce n'est pas un métier : c'est une grâce. Quand je regarde, autour de moi, la vie des autres, je vois mes énormes privilèges. Cela ne va pas sans des doutes sur mes mérites. Pourtant, la solitude est l'outil principal de l'écrivain. Et le retirement du monde est, à mes yeux, une réussite de la maturité. Je n'ai plus guère besoin d'autrui. Et tout ce que j'ai à faire est dans ce que j'ai à dire, au sein d'une solitude pleine et acquise. Enfin, toute la vie, je fus en quête d'un état religieux. J'ai connu des groupes, fréquenté des « maîtres », participé à des exercices,

*etc. Sauf miracle, ou gros lot à la loterie des révéla-
tions subites, je n'attends plus rien des « enseigne-
ments » et des collectivités. J'ai fait mes choix, à peu
près trouvé le meilleur usage de moi-même, après
décantation. Je n'attends plus rien que de ma propre
continuité. Et puis, le temps m'est mesuré. Ce que
j'ai de mieux à faire : écrire ce qui me reste à écrire.
Distribuer ce que j'ai acquis, même si c'est peu. Servir
mon métier, qui m'a bien servi. Tout le reste est
temps perdu. Voilà ce que me dit mon réalisme. Mon
idéalisme me dit autre chose. Qu'il faut sortir de sa
tour, aller aux autres, payer de sa personne. Tout
intellectuel, en Chine, est périodiquement envoyé à la
glèbe, repiquer du riz. Mon réalisme n'approuve pas.
Mon idéalisme trouve que c'est noble. Si je pense que
la nourriture spirituelle, dans mon pays, est de première nécessité, comme le riz en Chine, et bien que
mon bol soit plein tous les jours, mon Grand Timo-
nier personnel m'enjoint de retourner à la terre et
d'aller, en toute humilité et fraternité, faire les la-
bours de l'être avec des compagnons.*

*
* *

*Qu'une institution actuelle se recommande de la
pensée ésotérique, du secret et de l'initiation spirituelle : s'agit-il de désuétude?*

*Esotérisme. Secret. Initiation : des mots gênants.
Connotation d'étrangeté romantique et d'occultisme.
Tout cela forme la Gnose (« science du salut », disait*

Bossuet). Encore un mot désaccordé. « La gnose, dit Abellio, jugée de l'extérieur, apparaît comme un affreux mélange de pouvoirs occultes et d'érudition de fatras. Or, elle se veut et elle est exactement le contraire. Une juste définition de l'ésotérisme implique une prise de distance par rapport à l'érudition et à l'occultisme. » Je souhaite que des esprits modernes, dans un langage dépouillé du fatras, s'appliquent à établir une psychologie et une sociologie de la démarche gnostique. Cela servirait à dénouer des contractions de la mentalité contemporaine.

Par exemple, il faudrait étudier les fonctions du secret.

Pourquoi toute société initiatique se donne-t-elle pour société secrète? Est-ce indispensable? Si oui, quelle est la nature du secret?

« Le monde ne subsiste que par le secret. » Je trouve toujours cette parole du Zohar en référence, dans les innombrables écrits sur le sujet. Les auteurs paraissent très satisfaits avec cette citation. Mais qu'une parole soit dite sacrée, ne suffit pas à m'éclairer. L'équilibre du monde dépend-il des connaissances et des pouvoirs d'une élite suprême et mystérieuse, qui détient les vérités ultimes? Je ne crois pas à ce genre d'interprétation théosophique. Je me dis d'ailleurs que, pour l'heure, le monde ne subsiste que par le téléphone rouge entre les puissances atomiques. Je ne pense pas que ce soit le type de vérité éternelle contenue dans le Zohar.

Pour moi, cette parole signifie : l'équilibre humain

ne subsiste que par l'attention que l'homme porte à son propre secret.

Quel secret? Que l'homme est le dépôt d'un absolu, d'une unité. Chaque homme connaît le Bien, dans l'intimité de son cœur. Et que la conscience du Bien soit déposée dans l'intimité du cœur de l'homme, est le secret du monde.

Cette conception traditionnelle s'oppose à nos psychologies réductionnistes : l'homme n'est qu'un ensemble de mécanismes (les béhavioristes et les pavloviens); l'homme n'est que son action (les existentialistes français); l'homme n'est qu'une dépendance de l'économie (les marxistes); l'homme n'est que les avatars de sa libido (les freudiens). La conception traditionnelle peut admettre ces psychologies comme des aspects secondaires de l'homme, des voies de recherches intéressantes à la surface de l'être. Mais elle tient que l'être réel n'y est pas impliqué. Et que cet être réel se dévoile, dans sa toute-puissance salvatrice, par une descente dans le fond archaïque de la personnalité, et par un acte de rupture — l'initiation — qui révèle dans ce fond archaïque l'unité primordiale.

Autre parole toujours invoquée : « C'est l'étude de la Loi qui soutient le monde » (Kabbale). Je ne crois pas qu'il s'agisse de l'étude des Dix Commandements, ou du décryptage de la Bible chiffrée. Sans doute s'agit-il d'une parole plus simple et plus profonde : l'ordre de la création est soutenu par la conscience dans l'homme, d'être le dépôt de cette unité primordiale, et par la transmission de cette conscience, de génération en génération, au moyen de symboles et de rites initiatiques.

La conscience d'être le dépôt d'une unité primordiale et transcendante, n'est pas le fait de la conscience ordinaire. Nous pensons que le seul état de l'homme est : une conscience douée de raison, de sentiments, etc, et un inconscient. La gnose se fonde sur l'idée qu'il existe un autre état de l'homme, d'où le premier apparaît comme seulement composé de deux catégories d'inconscient. La révélation de cet autre état est le propre de l'initiation spirituelle.

Passer à cet autre état est le devoir essentiel de l'homme. L'initiation peut être un effet de la grâce et d'une quête personnelle ardente. Mais pour mettre l'homme sur le chemin de ce devoir, il a toujours existé; il existe encore aujourd'hui et il existera toujours, je crois, des groupes gardiens de méthodes éprouvées, venues du fond des âges : ce sont les sociétés initiatiques.

L'arrachement à notre individualité usuelle, à notre personne séculière, n'est pas seulement une chose difficile. C'est une chose toujours en échec et toujours en oubli. Du reste, l'acte initiatique ne prétend pas arracher définitivement l'homme à sa personne profane et au monde. Ce n'est pas le but. Le but est de lui faire désormais concevoir l'existence comme un permanent échange entre : distance par rapport au monde, et participation au monde. Et, en lui-même : permanent échange entre conscience profane et conscience sacrée.

La conscience double, que l'on acquiert ainsi, peu ou prou, n'est pas descriptible dans le langage habituel, linéaire, univoque. Le langage de la conscience double est un vécu; il ne peut être un dit. C'est en ce sens qu'il y a secret. Il n'y a pas secret par volonté délibérée de mystère. Il y a du secret parce qu'il y a du différent inexprimable.

Trois autres aspects du secret :

1. Fonctionnel. *L'obligation de ne pas révéler au-dehors des mots, des gestes en usage dans le lieu initiatique, est un élément de l'action psychologique. C'est aussi un ferment de coagulation du groupe. C'est enfin un moyen de structurer la personnalité, toujours menacée d'éparpillement par elle-même et le monde. L'appartenance à une société qui a ses secrets est un chemin vers l'individuation. Et cela « représente encore pour longtemps, dit Jung, la seule possibilité d'existence de l'individu plus menacé que jamais aujourd'hui d'anonymat ». Jung dit encore : « De même que l'initié, grâce au secret, s'interdit le retour à une collectivité moins différenciée, de même l'individu a besoin, pour s'accomplir, d'un secret que, pour quelque raison, il ne doit ni ne peut livrer. Un tel secret l'oblige à s'isoler dans son propre secret individuel. [...] Seul un secret qu'on ne peut trahir, soit crainte, soit impossibilité de le formuler en paroles descriptives, empêche la rétrogradation au collectif. »*

Les régimes totalitaires, en interdisant les sociétés secrètes (ou discrètes) pourtant non politiques et non

religieuses (au sens dogmatique du terme), se sou-
cient beaucoup moins du contenu du secret que de la
fonction du secret, qui est, justement, de rappeler à
l'homme l'autonomie de son être.

2. Lié au vécu. *Une nouvelle colloration des pen-*
sées et des attitudes; la longue marche dans le laby-
rinthe de l'individuation; les échanges psychologiques
à l'intérieur de la collectivité initiatique : se voir
autrement et se voir vu autrement; le sentiment d'une
nouvelle relation à soi-même, aux autres et au
« tout » : cela constitue à proprement parler une nou-
velle vie, inexprimable dans son fond, comme toute
vie intériorisée.

« Considérez la vie des oiseaux et des poissons.
Jamais le poisson ne se lasse de l'eau, mais, n'étant
pas poisson, vous ne pouvez savoir ce qu'il ressent.
Jamais l'oiseau ne se fatigue des bois, mais, n'étant
pas oiseau, vous ne pouvez connaître son sentiment.
Il en est de même pour la vie initiatique : si vous ne la
vivez pas, vous n'en saisirez rien » (Hojoki, 1212).

C'est ce que dit aussi Goethe : « Vouloir compren-
dre au grand jour est une vraie niaiserie. »

Il y a des expériences humaines qui ne peuvent
être « démystifiées » sans être privées de leur subs-
tance. L'analyse prétendument objective qui permet-
trait de les rendre communicables au grand jour, par
un exposé « rationnel », ne serait en fait, qu'une
détérioration et un désaveu de ce qui a été vécu, et
une façon « scientifisante » de faire rétrograder la
personne constituée dans la masse informelle.

3. Lié au langage symbolique. *Le langage symbolique d'une société initiatique n'est pas transmissible à l'extérieur. Tout a été publié pourtant sur les rites et les symboles de l'initiation. Mais, pour l'homme en marche vers sa réalité spirituelle, le symbole n'est jamais dans un état fixe. Il est en perpétuel élargissement du signifié, en constant dévoilement du sens. L'adepte est invité à un déchiffrement continu des symboles, sur une gamme infinie de codes progressifs. L'expérience, la méditation, le temps, révèlent les symboles comme des choses vivantes dont la vie s'élargit et monte indéfiniment. Le symbole n'existe que dans et par cette dynamique modificatrice. Exposé hors de cette dynamique interne, son contenu s'évapore. Le langage profane ne renvoie qu'à son sens immédiat. Le langage politique ne renvoie qu'à l'action militante. Le langage symbolique renvoie à la promesse d'un sens toujours plus étendu et plus haut, qui apparaît à mesure que l'homme est lui-même plus développé et plus élevé.*

La qualité (on dit la « régularité » : filiation traditionnelle authentique) d'une société initiatique se peut mesurer à ceci : que chaque symbole employé tient ses promesses, c'est-à-dire dévoile des sens successifs, complémentaires, ascendants, fonctionne comme la maquette d'une vérité sur laquelle l'esprit peut travailler analogiquement, jusqu'à l'éternité.

Tout cela, bien entendu, suppose que nous admettions que la symbolique initiatique enferme une signi-

fication transhistorique, à la racine de toute pensée humaine. Je l'admets. Je le crois.

*
* *

Esotérisme signifie : de l'intérieur. Enseignement ésotérique : enseignement des significations intérieures.

« Je te fais pénétrer dans de nouvelles demeures. Il y a une porte. Elle est fermée. Ouvre-la. Cette porte s'ouvre de l'intérieur. Tu dois la tirer vers toi, et ensuite t'effacer pour passer. »

S'effacer pour passer est toute l'initiation.

L'initiation n'est pas une révélation subite de connaissances. Elle provoque une disposition à la connaissance d'un autre état possible de l'être. Elle est un « apprendre à apprendre » qui tente d'imprégner toute la psyché. On ne remet pas à l'initiable un savoir caché. On l'introduit dans un psychodrame, dont le rituel est toujours le même depuis le plus lointain passé. « En définitive, nos rituels ne sont que des " guides " pour ceux qui sont capables de découvrir en eux ce qui brille encore de la Parole perdue » (G. Persigout, Cabinet de Réflexion).

La rituelie de base se retrouve dans toutes les sociétés initiatiques des origines à nos jours. Une telle pérennité des structures mérite l'attention.

Le psychodrame a pour effet de donner à l'adepte la vive sensation qu'il se dépouille de sa conscience ordinaire; qu'il meurt à lui-même en tant que per-

sonne attachée à des passions, des appétits, des opinions, des intérêts, à sa figure privée comme à sa figure sociale; qu'il a pris conscience des ténèbres dans lesquelles il errait en cet état. Mais voici la renaissance en un état plus libre, plus lumineux, plus serein. Renaissance méritée par le renoncement et les épreuves, confirmée par un serment solennel. Agrégation à une fraternité qui célèbre maintenant dans l'allégresse l'apparition d'un frère sur les dépouilles d'un quidam. Mise à nu, descente dans les ténèbres, remontée vers la lumière. « Alors l'homme, dès lors parfait et initié, devenu libre et se promenant sans contraintes, célèbre les Mystères » (Plutarque).

S'il y a révélation, ce n'est que celle-ci : la société à laquelle on vient de s'agréger est une machine à changer le climat mental. L'architecture des lieux, la disposition des participants, certaines combinaisons de paroles, les gestes, les rythmes, les heures choisies, tout cela participe d'un ensemble de techniques ayant pour effet de permettre à chaque homme présent de retrouver ses sources existentielles.

Pour obtenir une perspective mentale élargie, pour établir un espace et un temps privilégiés, pour créer dans l'homme les conditions d'une présence à lui-même, aux autres et au monde, plus vaste et plus haute, il faut des méthodes, un outillage. Les méthodes et l'outillage sont dans la rituelie qui a traversé les siècles, les cultures, les religions, non parce que Dieu ou le Grand Architecte de l'Univers l'a voulu *ainsi, mais probablement parce que cette rituelie est une clé de l'âme humaine.*

Anderson, dans ses Constitutions *qui fondent la maçonnerie moderne, déclare que cet ordre tient sa filiation d'Adam. Je vois d'ici le sceptique rationnel s'empressant de « démystifier ». Mais il jette, avec le mythe, la vérité contenue dans le mythe. C'était une façon de dire deux choses essentielles :*

— Que l'initiation conférée appartient à une chaîne ininterrompue à travers l'histoire de l'humanité.

— Qu'un ordre initiatique ne tient pas sa constitution de tel inspiré, ou de tel brillant organisateur, mais de l'expression d'une constante de la nature humaine. De quelque chose de supérieur, et de supérieurement stable, dans la nature humaine, qui provoque, au long des siècles, l'établissement de ces relais que sont les ordres initiatiques.

*
* *

La pensée matérialiste est la pensée de l'homme-semblant : un ensemble de purs conditionnements. Elle nie la réalité toujours vivante et la valeur du fond archaïque. Comme je l'ai déjà dit, elle considère ce fond archaïque comme un fossile. La pensée initiatique le considère comme un hibernant qu'il faut savoir réveiller dans les meilleures conditions possibles, afin qu'il puisse, sans nuire à l'intelligence, *continuer d'assurer sa fonction poétique fondamentale.*

Le matérialisme est partiel et partial. Il soustrait à l'observation, à l'usage et à la considération, une part de ce qui compose la nature humaine. Repoussée dans les régions de l'interdit et de la malédiction, cette part joue le jeu dangereux des refoulements. Les refoulements provoquent des déviations, des défigurations, des inversions. C'est ce qui est si manifeste aujourd'hui. Que « le monde repose sur le secret » devient : prestige des actions clandestines inconsidérées. Qu'il y ait une « violence des purs » devient : intolérance et terrorisme des fanatiques. Qu'il faille « n'être pas entièrement de ce monde » devient : la haine absurde de ce monde. Que le devoir de l'homme soit la quête d'une « suprême liberté » devient : libération des instincts et pur laxisme moral. Que l'aventure supérieure de l'homme soit « la recherche de son centre spirituel » devient : voyage excentrique. L' « underground » est un produit du matérialisme : l'image défigurée et inversée de la démarche gnostique.

*
* *

L'ésotérisme se fonde sur trois principes :

— L'homme du monde profane (séculier) n'est pas un homme accompli. Il n'est que de la graine d'homme, qui sera balayée, à moins qu'elle ne trouve un terrain propice à sa germination;

— Il existe une Sagesse, une Vérité, antérieures aux formulations religieuses dogmatiques, déposées

*dans l'homme de toute éternité. Chaque moment de
la morale, du savoir, de la culture, du sentiment religieux, dans la succession des siècles, n'est qu'un des
reflets fragmentaires, sombres ou clairs, d'une révélation primordiale;*

*— Une volonté supérieure se manifeste à travers
toute l'aventure humaine, et l'histoire obéit à des lois
cycliques. Comme la pâte tourne et lève autour de la
batte qui la pulse en son centre, les temps sont brassés
par une présence verticale fixe.*

*La vision ésotérique de l'homme suppose, dans
l'homme dont rend compte la psychologie profane,
inconscient compris, un autre homme conforme au
modèle des origines, et qui appartient au ciel des
essences platoniciennes. Tout le « travail » initiatique
aura pour objet de provoquer la germination et d'assurer l'épanouissement de cette potentialité idéale, de
cette sur-nature, ou plutôt de cette réalité naturelle
ultime et primordiale à la fois, dont notre nature ordinaire n'est que la gangue. C'est un fixisme. C'est une
démarche du « retour à ». Cependant, ce n'est pas un
passéisme. L'accès à l'essence donne l'accès à toutes
les voies et à tout le mouvement des connaissances.
« Le secret est dans l'unité. La dynamique est dans
l'unité. Dieu et l'Homme, le Monde et l'Au-Delà
deviennent un : ils se connaissent l'un l'autre »
(Aurobindo).*

*Cette métaphysique implique une doctrine des cor-
respondances. Ce qui est en haut est comme ce qui
est en bas. Le monde qui tombe sous le contrôle de*

nos sens et de notre raison, est la manifestation visible de réalités invisibles. Il y a une circulation d'analogies entre l'univers et l'homme, comme entre le visible et l'invisible. « Les choses basses se retrouvent dans les choses hautes, mais en un autre état » (Platon). Une Sagesse perdue — oubliée plutôt que perdue — peut éclairer ce jeu mystérieux des correspondances, nous en restituer la signification. Les mythes, les rites, les symboles de l'initiation, sont là pour réveiller en nous le souvenir de cette sagesse, pour nous aider à en retrouver le chemin.

*
★ ★

J'ai rencontré, au cours de ma vie, beaucoup d'hommes en négatif : ni d'une église, ni d'un parti, ni d'une vocation. Des opinions, un métier, une vie privée, des goûts, des hobbies. Et un malaise central. Le sentiment d'une vacuité. Un manque et une attente imprécise. Un reflet au fond d'un puits. J'ai toujours trouvé que c'étaient les plus humains des hommes, les plus représentatifs du siècle : des errants avec une nature de pèlerin.

Une disponibilité, en eux, était leur secret à la fois pénible et lumineux. Il y avait une humanité sans emploi dans ces hommes. Rien, dans le discours quotidien du monde, ne parvenait à la concerner. Rien même dans leur existence, ne réussissait à l'arracher au chômage.

Le discours du monde, y compris celui des Eglises,

*n'est plus qu'un discours profane. Il laisse une part
de l'homme dans le manque et l'attente :*

*Certainement, je vis dans un monde en mouve-
ment, qui sollicite l'attention et l'engagement. Chaque événement social, politique, économique, ici et
partout sur la terre, me concerne de quelque façon.
Chaque pulsion de l'histoire immédiate me provoque
au jugement et au choix. Oui, cela est vrai. Ou, en
tout cas, la disposition d'esprit général, le climat culturel, m'incitent à ressentir vivement ma participation
au monde. Mais alors, les groupements, les clubs, les
partis, les syndicats, sont là pour m'éclairer et orien-
ter mes actes. Cependant, la prise de conscience politique, est-elle une prise de conscience globale des
réalités sociales et humaines? Si la prise de conscience
politique est nécessaire, est-elle suffisante? Recouvre-
t-elle tout le champ de la conscience? Ah! c'est à
partir du moment où se pose à moi cette question, que
je commence d'errer dans une inquiète solitude.*

*Ou bien je pense que je ne suis défini, à mes yeux
et à ceux d'autrui, que par mon travail, mes options
sociales et politiques. Que, seuls, ma situation dans
l'économie générale et mes engagements au jour le
jour, me constituent et sont, à proprement parler,
ma nature, mon destin, la totalité de ma figure. Ou
bien je pense que ce n'est pas entièrement vrai.
Allons, j'avoue, c'est ce que je pense : il y a autre
chose. Je ne suis pas seulement un ouvrier de l'usine
planétaire, un soldat, ou un militant. Il y a autre chose
en moi, qui existe, ou qui a soif d'existence, et qui*

transcende l'histoire et la société. Il y a en moi une liberté irréductible et une voix intérieure qui ne parle pas le langage de l'histoire, des idées, des doctrines, des propagandes. Il y a en moi de l'être absolu qui cherche à s'affirmer, quelque chose que j'attends et repousse à la fois, et qui surpasse en poids, en chaleur, en évidence, les vérités sociales et politiques.

Si je pense cela, je vois qu'il m'est sans doute nécessaire de participer aux travaux et aux combats de ce monde, mais qu'il m'est tout aussi nécessaire de cultiver en moi la faculté de prendre de la distance. Et je vois aussi que prendre de la distance est la chose la plus couramment refusée aux hommes, aujourd'hui, à quelque régime politique qu'ils appartiennent. Quand puis-je réellement prendre de la distance? Tout me malaxe, m'aspire, me conditionne, même dans mon privé, dans les lieux de mon repos. Et même la nature, qui était hier encore l'oratoire de l'homme simple, est aujourd'hui, autour de moi, sans cesse perturbée. Quand et comment pourrais-je faire ce que les anciens appelaient oraison? Si j'étais croyant, peut-être que l'église, à matines... Mais l'Eglise elle-même cesse de tenir le langage de l'intériorité. Que reste-t-il? Une jambe cassée, une « bonne » maladie, qui m'aideraient à me « reprendre »? Comme j'aimerais trouver des hommes qui éprouvent eux-mêmes ce que je ressens! Existe-t-il, quelque part, quelque communauté de « chercheurs de l'être caché au fond de l'être »? Comme je voudrais vivre des moments où des hommes s'unissent *pour renouer avec le meilleur et le plus profond d'eux-mêmes, dans un climat de ressemblance, de tolérance et de sérénité!*

Hors du temps et de l'espace profanes, je découvrirais une présence à moi-même plus réelle que moi-même, et bienveillante aux autres. Mes frères et moi aurions laissé à la porte nos armures et nos chaînes, nos fausses personnalités à la fois agressives et esclaves. Je serais disponible à une meilleure connaissance de moi-même et des autres. Nous co-naîtrions dans la confrontation des personnes ainsi reconstituées, à la seule fraternité qui ne soit pas un leurre...

Telles sont les paroles que beaucoup d'hommes en exil d'eux-mêmes, prononcent dans le secret de leur cœur, tandis que déferle sur eux le discours profane du monde.

Celui qui les prononce avec constance trouvera son pèlerinage. Une série de hasards, de conversations, de rencontres, quelque aimantation mystérieuse (pas plus mystérieuse que celle qui porte l'un vers l'autre les amants) le mèneront vers un groupe, l'agrégeront à une société. Il trouvera son chemin, et des frères sur le chemin.

Je crois que pour les hommes insatisfaits de plus en plus nombreux, les sociétés initiatiques traditionnelles, que l'éternelle vérité humaine maintient vivantes, en dépit de tout, sont les seules structures d'accueil. Elles seront, pour longtemps encore nécessaires. De plus en plus nécessaires, même. Parce qu'elles sont l'enracinement, dans un monde de per-

sonnes déplacées. Parce qu'elles sont l'éducation (former et élever) dans une civilisation qui a cessé de prendre en charge l'âme des hommes.

*
* *

L'enracinement

J'aime le progrès. Je reconnais que le monde ancien était plus habitable pour l'âme des hommes. Je comprends les nostalgies.

Le village nous déposait maternellement en nous-mêmes. L'homme faisait sa propre maison. Et, créant son monde, sur sa terre ancestrale, il créait de l'éternité. Il se faisait une demeure d'où le temps ne fuyait pas. Dans la maison de village, on vivait enveloppé par des images de l'enracinement éternel : la nature immuable, le paysage fixe, la famille tout autour, les tombes des anciens dans le cimetière à deux pas, les souvenirs vivants, les coutumes.

J'ai passé mon enfance dans une banlieue aujourd'hui méconnaissable. Jamais je ne vais voir le petit pavillon, le jardin, qui furent mon paradis d'enfant pauvre et poète. Il n'y a plus rien des paysages qui vivent dans ma mémoire, que mon enfance transfigurait, que le progrès a défigurés. Même la croix, sur la tombe de ma grand-mère, a disparu, brisée par les ébranlements de l'air : les avions décollent à ras du champ de mes morts.

En malaxant l'espace et le temps, en faisant du monde matériel une mouvance, la modernité nous *retire les images de l'éternité. La terre charnelle est bouleversée. Je suis nomade. Où trouverai-je mon enracinement? Devrai-je sans cesse aller plus loin, chercher des lieux épargnés, pour être « tranquille »? Pour que les choses, autour de moi, me parlent de continuité et de sérénité? Pour que j'aie enfin ma demeure? Et ne sera-ce pas, tout de même, une demeure précaire? Un jour ou l'autre, j'entendrai venir l'envahisseur. J'entendrai de loin le piétinement des armées de la Mouvance.*

Nous sommes des personnes déplacées, mais notre patrie existe au fond de nous. Ce que m'oblige à comprendre la modernité, c'est qu'il n'est nulle forteresse extérieure, que je dois trouver dans mon âme ma demeure fixe, sans le secours des images. Notre souverain bien n'est pas dans les images. La continuité, l'unité, l'éternel ne sont pas au-dehors, mais au-dedans. Je dois les appréhender directement, dans ce qui m'est à la fois le plus proche et le plus lointain : mon être.

L'ancien temps était le berceau de l'homme spirituel. Toute une imagerie de l'enracinement sevrait son âme. Mais il n'est pas écrit que l'humanité doive passer sa vie au berceau. Elle s'en arrache pour aller dans le cosmos. Nous devons, nous aussi, chacun de nous, personnellement, nous en arracher, pour aller de notre propre effort, vers notre lumière intérieure fixe.

Il n'y a aucune initiation véritable, si toutes les conditions de l'existence ne sont pas les instruments même de l'initiation. Les conditions de l'existence moderne sont, elles aussi, initiatiques. Peut-être plus initiatiques que les conditions anciennes, parce que moins enveloppantes, moins protectrices.

En réalité, il n'y a pas plus d'âme dans la lampe à huile que dans le filament électrique, dans la charrette que dans l'avion, dans le torchis que dans l'acier, dans le paysage naturel que dans la nature pétrie par l'homme industrieux. Il y avait seulement, dans les formes de l'existence passée, une plus chaude incitation à avoir de l'âme, une douce chanson maternelle pour nous dire : enracine-toi dans toi-même, fais ton éternité toi-même. Nous devons maintenant nous passer de chaleur et de berceuse. Le monde n'a pas cessé d'être l'école de l'homme spirituel. Mais nous ne sommes plus dans la classe du premier âge.

Une fonction initiatique imagée était dévolue au village, à l'immuable. Une certaine rituelie était dans les choses. La mouvance du monde la détruit. La rituelie doit passer dans les esprits. Le ciment des maçons ne se trouve plus dans la matière extérieure. La fonction initiatique se trouve entièrement dévolue à l'enseignement gnostique traditionnel. La porte du temple cesse d'être visible de l'extérieur profané. Et cependant, comme toujours : « Demandez, et on vous donnera; cherchez et vous trouverez; frappez et on vous ouvrira. » Comme toujours, il faut à l'homme un village. Mais quand le village terrestre a été effacé, plus que jamais l'homme comprend que sa vraie pa-

trie est un village spirituel. Une société initiatique tra-
ditionnelle est le village spirituel.

★
★ ★

L'éducation

« *Notre civilisation est la première à n'être et à ne*
se vouloir que matérielle », *dit Malraux. Cela l'an-*
goisse. Pas moi. Je pense qu'une civilisation sans pré-
tention a une finalité suprême, qu'une société qui ne
propose pas à l'homme une vision messianique, une
mobilisation sacrificielle, une idéologie, une religion,
est une société adulte. C'est un monde pratique, plu-
tôt confortable et intéressant, avec des grands projets
utiles, dont quelques-uns très excitants pour l'esprit,
mais qui renvoie l'homme à lui-même pour la re-
cherche de ses propres raisons de vivre.

Or, la vraie liberté, à mon sens, commence là où la
civilisation crée une société qui se fait seulement
productrice et distributrice de biens matériels. Une
société sans service public d'illusions collectives, qui
ne prétend pas à du sublime de masse, a les plus
grandes chances d'être la première société conforme
à un idéal humaniste. Une société qui ne se substitue
pas à l'individu pour la découverte du meilleur
emploi de sa propre vie, de son intelligence, de son
cœur, de son âme, est réellement une société nou-
velle.

Je ne dis pas que nous soyons déjà dans une telle
société, mais nous y allons.

Seulement, il est difficile de vivre dans un monde qui cesse de prendre en charge idéologiquement les hommes. Je crois que la profonde mutation occidentale est là. Et que c'est une mutation favorable. Cette mutation est génératrice d'angoisses. Quand on n'a pas été élevé, la liberté est une épouvante. On ne sait pas où la loger en soi. Angoisses du vertige. Le vertige des consciences individuelles informes devant l'étendue brusque de leur liberté. Je pense que les grands mécontentements pathologiques, qui conjuguent le sentiment apocalyptique et le délire utopique, au sein de notre monde sont, en réalité, dans les profondeurs de la conscience, les effets d'une peur panique de la liberté. Quel usage vais-je faire de moi-même? Au secours! Brisons ce miroir qui me renvoie à moi-même!

Ce n'est pas la révolution qui est à réinventer. Elle s'accomplit puissamment, mais pas du tout comme la conçoivent les révolutionnaires : un moment exalté de l'histoire qui me jetterait hors de moi. Au contraire, elle tend à apaiser l'histoire, à en faire une surface lisse qui réfléchit les hommes tels qu'ils sont : hélas! beaucoup s'aperçoivent qu'ils ne sont pas. C'est l'éducation qui est à ré-inventer. Former et élever. Une éducation de l'art de vivre personnel. Une éducation qui permette à l'homme d'aimer sa liberté. De s'architecturer personnellement. De découvrir librement des valeurs permanentes. De trouver son ordre intérieur. Et, à partir de là, de comprendre autrui, et de participer au monde avec bienveillance.

La possession de soi est le but de toute éducation noble. La morale n'a pas changé. Ce qui a changé, c'est qu'on ne l'enseigne plus. La morale a simplement, comme toujours, à être enseignée. Mais par qui? Elle est le fond humain. Comme telle, indissociable d'un enseignement spirituel et de la pensée initiatique.

La société ne prétend plus à l'éducation. Elle produit et distribue des biens, des services. Elle ne réclame en échange qu'un peu de civisme, un petit contrat avec le citoyen. Elle ne forme pas; elle informe. Les partis politiques, qui prétendent assumer la totalité de la nature humaine, sont la forme moderne de l'esclavagisme. Une esclavagisme mental. Quant aux églises, elles chôment. Le beau geste de l'index levé, qu'on voit aux saints du XIIIe siècle, l'évêque moderne le fait aussi, mais c'est seulement pour savoir d'où vient le vent.

L'éducation est d'abord l'apprentissage d'une certaine intériorisation de l'existence. Elle implique un enseignement spirituel. Et comment former et élever des êtres, au sein de la liberté, sans les introduire aux mystères de la liberté intérieure? Sans initiation spirituelle?

C'est pourquoi jamais, me semble-t-il, les conditions historiques, culturelles, sociales, n'ont assigné aux écoles de la philosophie éternelle, aux compagnons du temple invisible, et, pour tout dire, à la maçonnerie spirituelle, un rôle aussi évident et aussi nécessaire.

TABLE DES MATIÈRES

Commencement 11

Milieu 127

Fin 185

Notes 223

   I Sur les silences de la philosophie........ 227

  II Sur la démocratie.................. 249

III Sur la fonction permanente des sociétés
    initiatiques 275

IMPRIMÉ AU QUÉBEC